MÁS PENDEJADAS CÉLEBRES

EN LA HISTORIA DE MÉXICO

MÁS PENDEJADAS CÉLEBRES
EN LA HISTORIA DE MÉXICO

ANTONIO GARCI

Diseño de portada e interiores: Claudia Nelly Safa
Ilustración de portada e interiores: Antonio Garci con excepción de las páginas
siguientes: 12 y 13 Wikipedia. 73, 79 y 110, Instituto Mexicano de Derechos
de autor. 128, 129, 130 y 131, Conaculta con autorización del INAH. 160 y
161, fotos digitalizas por Antonio Garci. 168 cinemexicano.mty.itesm.mx y
172 www.oem.com.mx/elsoldehidalgo/notas/n1376351.htm

© 2011, Editorial Planeta Mexicana, S.A. de C.V.
Bajo el sello editorial DIANA M.R
Avenida Presidente Masarik núm. 111, 2o. piso
Colonia Chapultepec Morales
C.P. 11570 México, D. F.
www.editorialplaneta.com.mx

Primera edición: julio de 2011
ISBN: 978-607-07-0836-7

Impreso en los talleres de Litográfica Ingramex, S.A. de C.V.
Centeno núm. 162, colonia Granjas Esmeralda, México, D.F.
Impreso y hecho en México – *Printed and made in Mexico*

DEDICATORIA

....
....
....
....
....
....
....
....
....
....
....
....
....
....
....
....
.... A Citlalli, que me lleva
varios puntos de ventaja.

ÍNDICE

ADVERTENCIAS A LAS AMABLES PERSONAS QUE TENGAN LA BONDAD DE LEER ESTE LIBRO.

El hombre sólo recurre a la verdad cuando está escaso de mentiras.

Juan José Arreola.

Aunque el presente texto está basado en la compilación de diversos hechos que en efecto ocurrieron en nuestra historia, debo precisar claramente los siguientes puntos.

1) Éste **NO** es un libro de historia, sino de humor.

2) En este libro no hay buenos ni malos, héroes o villanos, sólo hay pendejos, con lo cual descubrimos que los grandes personajes de la historia eran exactamente como nosotros.

3) Este libro no intenta convencerlos absolutamente de nada, ni pretende que odien o amen a determinado personaje o causa; tampoco intenta demostrar que los mexicanos seríamos mejores o peores si los hechos que aquí se refieren no hubieran pasado; ni trata de persuadirlos de que voten por determinado partido o político en las próximas elecciones, pues eso es lo que hubieran querido nuestros ancestros, según los datos arrojados por las investigaciones del código genético de los mexicanos.

4) Este libro no utilizó animales para su producción. (Bueno, sí: los protagonistas de cada una de las historias, pero en todo caso no se mató personalmente a ninguno para escribir algún capítulo, ni se probó con ellos algún tipo de cosmético en su fase de experimentación.)

10

5) Este libro no requiere de baterías para su funcionamiento. (En serio, yo intenté ponérselas y sólo conseguí deshojarlo y romperle el lomo.)

6) No es adecuado utilizarlo en presencia de una mezcla anestésica con aire, oxígeno u óxido nitroso. (Puede volverse más aburrido de lo que es.)

7) Yo soy bien, pero bien pendejo, lo cual me convierte en una autoridad mundialmente calificada para el estudio de la materia que se aborda en este libro, aunque, al mismo tiempo, me impide tener la más remota idea de lo que quise decir en mis investigaciones.

8) ¡Este libro no fue hecho en China! (Bueno, eso espero.)

9) Manténgase lejos del alcance de niños con manos pringosas.

10) Con la compra de este libro, usted, amable lector, está contribuyendo a una buena causa, pues íntegramente el 10.0% de las ventas totales de este producto será entregado al autor. *(Yomero.)*

11) Fenilcetonúricos, este libro contiene fenilalanina, pero como es muy poco probable que con sus hojas hagan un té y se lo beban, está permitida su venta sin requerir de esta advertencia.

12) En caso de cualquier ofensa ocasionada por los extraños hechos referidos en este libro, favor de volver a consultar los puntos 1 y 5.

13) Este libro cuenta con el certificado de ser un producto 100% *Dolphin Free* por parte de la AFA *(American Foods Administration)* del estado de Florida.

14) Esta obra está basada en hechos reales; sin embargo, los nombres de las personas que participaron en ellos no fueron cambiados con el fin de proteger a personas inocentes, la razón es que en el sistema jurídico mexicano nadie es inocente hasta que se demuestre lo contrario.

15) Como dije antes, éste es un libro de humor, aunque debo reconocer que al estar hecho con material histórico sí existe el riesgo de que alguna persona aprenda efectivamente algo sobre la historia de México, por lo cual les pido sinceramente una disculpa, ya que esa nunca fue mi intención.

PASATIEMPO.
Encuentre las ocho diferencias entre estas dos figuras.

Estas fotos son de 1919; sin embargo, la segunda imagen fue por muchos años la "foto oficial" de este mitin del camarada Lenin y la mandó a retocar el camarada Stalin para hacer desaparecer al camarada Trosky, que le cagaba. (Es el güey de gorra y bigote que está en las escaleras del estrado en la primera foto.)

Los libros de historia son como estas dos fotografías.

En cambio, los libros de humor son así.

13

Éste es el caso de la presente obra.

LA MADRE DE LA PATRIA.

*Creo que cada época tiene una rubia,
como Marilyn Monroe y la princesa Diana;
en este momento, yo lo soy.*

Paris Hilton.

14

En México siempre ha existido una desabrida polémica por saber quién es el verdadero padre de la patria, si Hidalgo o Iturbide; y como aún no se le puede hacer análisis de ADN al país para averiguar esto, al parecer esta discusión no podrá jamás zanjarse definitivamente. En mi opinión, México tiene la promiscuidad de Hidalgo y la lujuria de Iturbide; la soberbia de Iturbide y la arrogancia de Hidalgo; heredó la pendejez de Iturbide y la torpeza de Hidalgo; y de ambos México tiene esa conmovedora vocación para llegar a lo sublime en la derrota; por lo que aun tratando de desentrañar quién es el padre, por los rasgos más evidentes también hay un empate.

Lo políticamente correcto es decir que Hidalgo es el padre de la patria, aunque no se sabe bien si esto se dice porque a él se le atribuye oficialmente el inicio del Movimiento de Independencia o porque llenó de hijos suyos el país. No obstante, no puede negarse que fue por Iturbide que se logró la Independencia de México y su movimiento no tuvo NADA que ver con el de Hidalgo; más aún, Iturbide siempre combatió a los insurgentes, ésa es la verdad; por lo cual decir que Iturbide es el consumador de la Independencia, como si se tratara del continuador de la obra de Hidalgo, es tan inexacto como decir que Angelina Jolie es la consumadora de la obra de Jenifer Aniston al convertirse en la actual pareja de Brad Pit.

Por eso propongo que mejor busquemos a la madre de la patria, pues en estos tiempos del *empoderamiento* de la mujer y de consolidación de las elevadas causas feministas nos conviene más a los mexicanos demostrar que sí tenemos madre, en lo que seguimos discutiendo otros doscientos años quién fue nuestro verdadero padre.

Madre sólo hay una.

Y mi propuesta para MADRE DE LA PATRIA es…: María Igna-**15**
cia Javiera Rafaela Agustina Feliciana Rodríguez de Velasco
y Osorio Barba Jiménez Bello de Pereyra Hernández de Córdoba Solano Salas Garfias, mejor conocida como *La Güera*
Rodríguez. (Con un nombre así es comprensible por qué
todo mundo la conociera nada más como *La Güera*.) Esta
bella mujer tuvo entre su larga lista de amantes a personalidades tan importantes como Simón Bolívar, Alexander von
Humboldt y Agustín de Iturbide, y apoyó la guerra de Independencia de Hidalgo aportando para esta causa recursos
de su propio dinero (bueno, de su marido); por este hecho
fue que se le abrió un proceso en el tribunal del Santo Oficio
el 22 de marzo de 1811, donde fue acusada de herejía por
defender la Independencia y por haber mantenido trato con
el cura Miguel Hidalgo y Costilla, y donde además la acusó
Juan Sáenz de Mañozca de "inclinación al adulterio", un cargo
realmente curioso, puesto que no se le inculpó por engañar
a su marido, sino porque como que se le notaba que le gus-

taría hacerlo. Los cargos se levantaron por falta de pruebas, después de que María Ignacia sacará a relucir en su defensa la moralidad y orientación sexual del inquisidor,[1] por lo cual el proceso en su contra se canceló, pues en este juicio habría podido salir a la luz hasta la vida sexual del elefante de los tres reyes magos, pues las múltiples relaciones (sexuales) de *La Güera* Rodríguez le permitían tener información clasificada de toda la sociedad novohispana. A todos los personajes de la sociedad de su época esta voluptuosa señora los tenía agarrados de los huevos, en un sentido literal.

Jalan más un par de tetas que un par de carretas.

Agustín de Iturbide fue uno de los más exitosos y tenaces perseguidores de los insurgentes y donde los encontraba los perseguía con entusiasmo fanático hasta exterminarlos; el cura Hidalgo era tío lejano suyo y al iniciar su movimiento invitó mediante una carta a su sobrino Iturbide a sumarse a su causa, y éste lo mandó al carajo, indignado por la propuesta; este hecho, aunado a las múltiples masacres de insurgentes que realizó, es precisamente lo que hace insostenible el argumento de presentar a Iturbide como consumador de la obra de Hidalgo. Para 1820, los insurgentes eran prácticamente una especie extinta en la Nueva España y el coronel Agustín de Iturbide era uno de los orgullosos artífices de su aniquilación. Luego entonces… ¿Qué fue lo que hizo que Iturbide cambiara radicalmente de ideas en 1821 y abrazara el ideal de la Independencia?…: *La Güera* Rodríguez.

Es común que las mujeres logren hacer fácilmente que los hombres sean capaces de realizar cosas que les repugnan y que toda su vida juraron que jamás harían (como casarse y trabajar); y en el caso de Iturbide, fue ella, y sólo ella, la que por medio de sus encantos persuadió al militar para que se integrara a los conspiradores de la iglesia de La Profesa, y no sólo eso, ella lo convenció de que debía ser él quien lograra la Independencia de la Nueva España y pronto. Iturbide implementó este encargo con gran diligencia, y al entrar en la ciudad de México el 27 de septiembre de 1821, al frente del victorioso Ejército Trigarante, desvió la parada militar para pasar frente a la casa de *La Güera* Rodríguez, para que ella pudiera ver su parada (desde luego me refiero al desfile). Esta bella mujer vivía en la esquina de lo que hoy es la calle de Isabel La Católica y la calle de Madero, en el Centro Histórico, justo enfrente de la iglesia de La Profesa, y seguro allí era donde se conspiraba sólo para que no le quedara lejos a la dama.

Como vemos, lo único que unió a la causa de Hidalgo con la de Iturbide fue esta hermosa mujer, por lo que, objetivamente, la consumadora de la Independencia iniciada por el cura Hidalgo es *La Güera* Rodríguez, a quien sinceramente creo que debemos registrar como la Madre de la Patria.

Por cierto, La *Güera* fue inmortalizada por el magnífico artista español Manuel de Tolsá (de quien se rumora que también fue su amante), pues ella sirvió como modelo para la virgen de La Purísima. Esta imagen se encuentra justo a la derecha, al entrar en la iglesia de La Profesa, por lo que con ella serían dos las vírgenes que formaron nuestra nación.

La Güera Rodríguez fue una mujer que avasalló en su tiempo gracias al sexo y que, irónicamente, quedó para las generaciones futuras como virgen. El nombre con el que se conoce a esta escultura es el de la virgen de La Purísima, aunque si nos atenemos al criterio del despechado Juan Sáenz de Mañozca, quien en el proceso que le hizo la inquisición a *La Güera* la acusó de "inclinación al adulterio", más bien podríamos decir que ésta es la virgen de La Pu.... ísima, la estatua que hizo Tolsá usando como modelo a María Ignacia Javiera Rafaela Agustina Feliciana Rodríguez de Velasco y

Osorio Barba Jiménez Bello de Pereyra Hernández de Córdoba Solano Salas Garfias, quien nació en un revolucionario 20 de noviembre pero de 1778 y murió, como debe ser en un día de muertos, el primero de noviembre de 1850. Descanse en paz esta sensacional señora, de la que nunca sabremos exactamente todo lo que le debemos los mexicanos.

Aquí vemos a la siempre encantadora *Güera* Rodríguez como la virgen de La Purísima, que está en la iglesia de La Profesa de la Ciudad de México. Debería consagrarse a esta imagen como la *patrona para hacer que los hombres hagan lo que quieren las mujeres y de las causas que ya parecen perdidas*, nada más por ser quien fue el sensacional personaje que modeló para esta figura.

1 Schober, Otto. "La reivindicación de 'La Güera' Rodríguez." *Zócalo*, Saltillo. Consultado el 24 de abril de 2010.

NOMBRE ES DESTINO.
POR QUÉ EL ZÓCALO SE LLAMA EL ZÓCALO.

*Mi padre se llamaba Modesto, por eso
nunca reconoció que era mi padre.*
Estrofa de un tango.

Monumento al presupuesto subejercido.

Los apodos suelen ser más importantes que los nombres.
Según la Biblia, Simón fue apodado *Pedro*, "El Piedra" por
Jesús; y fue como *San Pedro*, y no como *San Simón*, que se
le elevó a la más alta categoría celestial. Saúl se autoapodó
Pablo y con ese nombre pasó a la posteridad y sus cartas
al parecer las mandaba, ya firmadas, como *San Pablo*, pues
aparentemente también se autodenominó *Santo*, que en
esa época era como ponerse ahora *licenciado* antes del
nombre. *Calígula*, "El Botitas" , fue apodo del césar Cayo Julio
César Augusto Germánico y seguro por ese nombre tan largo todo mundo prefirió recordarlo como Calígula. Vladimir
Ilich Ulianov usó más de 150 seudónimos, y sólo le pegó el
de Lenin. En cuanto a los demás bolcheviques que conocemos: Stalin, Trosky, etcétera…, todos eran apodos, y bajo estos nombres falsos con que los recordamos realizaron todo
tipo de actos jurídicos, como la contratación de préstamos,

sentencias de muerte, nacionalizaciones y hasta la declaración del nacimiento de la URSS. Una de la razones con las que mi abogado Víctor explica la caída y desaparición de la Unión Soviética es que cuando revisaron el acta constitutiva de esta nación se dieron cuenta de que todas las personas que habían firmado para crear este Estado usaron apodos, por lo cual ese país no tenía ningún sustento legal; desde luego esta explicación sólo tiene validez entre abogados. Ya se sabe: Si quieres estar sano, no vayas a que te revise un médico; y si quieres estar legal, no vayas a que te revise un abogado. El punto es que en muchas ocasiones son los apodos los que perduran; Pancho Villa, por ejemplo, es perfecto para ponerle: "Con sus dos viejas a la orilla"; en cambio, si este personaje hubiera seguido usando su nombre verdadero de Doroteo Arango, no hubiera podido tener una sola vieja a su orilla y tal vez sólo le habría quedado: "Doroteo Arango, que trae a cada lado un caballerango". El primer presidente de México fue Guadalupe Victoria y por esta razón todo el mundo cree que nuestro país fue la primera república donde una mujer llegó a la presidencia, nadie recuerda que el verdadero nombre de este personaje fue José Miguel Ramón Adaucto Fernández y Félix, y bueno, si hemos de ser sinceros, tampoco nadie recuerda quién fue Guadalupe Victoria. Que el apodo llegue a ser más importante que el nombre de una persona es algo muy común, pero cuando el apodo de un lugar llega a ser más importante que su nombre oficial es porque ese es su verdadero nombre. Eso fue lo que ocurrió con el zócalo.

A lo largo de su historia, lo que se conoce como "El corazón de México" (así con ese título que parece sacado de una canción de Agustín Lara) ha tenido muchos nombres oficiales: Plaza de Armas, Plaza Principal, Plaza Mayor, Plaza del Palacio, Plaza Real... Actualmente su nombre oficial es el de Plaza de la Constitución, ¿pero cuál?, porque en México hemos tenido un chorro de constituciones. La de Apatzingán de 1814, la del primer imperio de 1822, la federalista de 1824, la conservadora de 1835, la liberal de 1857, la juarista de 1870 (era la de 1857, más las leyes de Reforma), la revolucionaria de 1917 e incluso el subcomediante Marcos trató de hacer una en 1994 en un campamento de verano para gente de izquierda al que llamó "Convención Nacional Democrática"; y con ese candoroso entusiasmo latinoamericano que nos hace pensar que todos los problemas que tenemos, incluyendo los de erección y de calvicie prematura, se arreglarán con una nueva constitución, se pusieron a trabajar. Al perecer, la única ley que se aprobó en ese congreso fue "la ley de la selva", debido al contexto en el que se realizó este

21

patriótico esfuerzo, y existen indicios de que los delegados también derogaron la "ley de gravedad" por considerar que atentaba injustamente contra la correcta posición de los senos de la comandante Renata; también lograron una reforma a los artículos transitorios de la "ley de Herodes", con lo cual se consiguió que si la gente se chingaba, ya no se jodiera después. Desde el año 2007, Marcelo Ebrard impulsa una constitución para el Distrito Federal que establece que la capital de la Ciudad de México es él.

Pero, volviendo al tema, el nombre de Plaza de la Constitución, curiosamente NO le fue dado al zócalo por ninguna de las constituciones que se han hecho o intentado hacer en México, sino por una que se hizo en España, la Constitución de Cádiz de 1812.

Este lugar recibió el nombre actual porque durante el virreinato, en 1813, allí se juró en la Nueva España la Constitución Española, promulgada en Cádiz el año anterior. Y es una ironía que esta constitución, que nos hizo más españoles que nunca, fuera la causa que nos convirtió en mexicanos.

La Constitución de Cádiz iba a ser la nueva norma para regir en todo el imperio español y a TODOS los habitantes de este vastísimo territorio los denominaba así: "los españoles de uno y otro lados del mar", es decir, que de un plumazo terminaba con las diferencias entre españoles, novohispanos, neogranadinos, filipinos, guineanos, etcétera…, por fin todos en el imperio español éramos españoles y esto, además, acababa con la odiosa estructura de castas colonial en la que a su vez se dividía a los habitantes de cada reino. Con esta constitución en la Nueva España, al menos legalmente, ya no se reconocía la diferencia entre gachupines, indios, castizos, mestizos, criollos, mulatos, cambujos, lobos, saltapatrás, tentenelaire, etcétera…; todos los que vivíamos en este lugar seríamos en adelante españoles y punto. Esto equivalía a declarar que todos seríamos "ciudadanos", pues al volvernos "españoles" ya teníamos los mismos derechos, al menos en teoría, pues ante la ley constitucional todos éramos iguales, aunque ya se sabe, siempre hay unos más iguales que otros.

La españolísima Constitución de Cádiz no pudo usar el término "ciudadano" porque este concepto era absolutamente francés en esos tiempos y España (incluidos sus reinos coloniales de ultramar, como la Nueva España) luchaba desde 1808 contra la ocupación francesa de Napoleón Bonaparte, es más, toda la excusa para hacer esta constitución fue por ver cómo se iba a organizar ahora el imperio español, ya que la familia real había sido hecha prisionera por los franceses, y para mayor INRI, como dirían mi tías, Cádiz, ese pedacito de España a donde fueron los diputados de todos los rincones de este imperio a organizar una constitución, era el único punto en la península que no había sido ocupado por los franceses, gracias a que la flota y el ejército británico mantenían tomada esa ciudad. Como recuerdo de esos viejos tiempos, los ingleses, nostálgicos como son esos cabrones, se quedaron con el Peñón del Gibraltar, que aún conservan, pues al parecer tiene para ellos un gran valor sentimental. Les recuerda cuando se hizo la Constitución de Cádiz; de verdad eso es lo que creo, si no, ¿para qué demonios iban a querer conservar los ingleses esa piedra? En fin que, como decía, en esta carta magna los constituyentes de Cádiz usaron la palabra "español" para denominar a cualquier habitante de los territorios que pertenecían a la corona española y esto fue muy importante, ya que las anteriores leyes borbónicas hacían que todos los habitantes del imperio tuvieran privilegios, obligaciones y chamba según su condición de nacimiento; por ejemplo, en el ejército, si eras gachupín (español) podías llegar hasta el puesto de general; criollo, hasta coronel; castizo, hasta teniente; mestizo, hasta sargento, y así… y esta estratificación se daba en todos los ámbitos de la vida colonial. Siguiendo esta lógica, en la época del virreinato los únicos considerados como unos verdaderos hijos de puta fueron los españoles, porque los criollos sólo podían llegar a ser nietos de puta; los castizos, sobrinos de puta; los mulatos, si se esforzaban mucho, podían llegar a ser tíos políticos de puta; los mestizos, bisnietos de puta, y así cada quien según la casta. Como se ve, en la época de la colonia todo resultaba muy complicado para la gente, incluso insultarse.

Hay que decir empero que este sistema tenía la ventaja de que ya sabías que los de las demás castas no podían competir contigo, pues su condición los descalificaba automáticamente para ocupar tu chamba; sin embargo, tenía la enorme desventaja de que una vez que llegabas a tu techo en el escalafón, de ahí no ibas a poder pasar jamás, pues el puesto superior inmediato estaba apartado para alguien de la siguiente casta. En la actualidad, el único sistema laboral que conserva este orden es de las plazas en el sindicato de PEMEX y la verdad ninguno de los trabajadores se ha quejado jamás. Con esa constitución que nos volvía a todos españoles quedamos en igualdad absoluta, incluso, ya se podían hacer con los mexicanos chistes de gallegos.

La de Cádiz fue una constitución liberal y masónica, dos conceptos que en esos tiempos eran sinónimos; y fue conocida como "La Pepa", porque fue proclamada el 19 de marzo de 1812, día de San José. Fue la primera constitución promulgada en España y una de las más liberales de su tiempo. La constitución establecía el sufragio universal, la soberanía nacional, la monarquía constitucional, la separación de poderes, la separación de la Iglesia y el Estado, la abolición del tribunal del Santo Oficio, la libertad de imprenta, la libertad de cultos; acordaba el reparto de tierras y la libertad de industria, entre otras muchas cosas que dañaban muuuuuuy seriamente los intereses del clero y la nobleza colonial, y estuvo en vigencia dos años, desde su promulgación hasta el 19 de marzo de 1814, cuando regresó a España Fernando VII, que mandó a "La Pepa" a "la popó". Ya liberado de los franceses, este monarca español se sentó en el trono, encarceló y fusiló a todo aquel que hubiera tenido algo que ver con "La Pepa". Haciendo cuentas, si en México no se juró la Constitución de Cádiz sino hasta finales de 1813, ésta sólo tuvo aplicación para nosotros unos 5 meses, y eso si es que alguien del gobierno virreinal alguna vez intentó hacer algo para aplicarla.

25

ANTONIO GARCI

Posteriormente, la Constitución de Cádiz volvió a estar vigente durante el Trienio Liberal (1820-1823), cuando un pronunciamiento militar de las tropas que iban a embarcarse hacia América para luchar contra los independentistas se rebela, regresa a Madrid y apuntando sus mosquetes a la cabeza de Fernando VII lo hacen gritar: ¡Viva La Pepa! La Constitución de Cádiz se reimplanta en todo el imperio español y esa fue justamente la razón por la que se rebeló un coronel llamado Agustín de Iturbide, el personaje que al final, nos guste o no, hizo la Independencia mexicana. La idea del Plan de Iguala era que nuestro país se separase de España, pero para ofrecerle a Fernando VII, entonces rey de España, la corona de la Nueva España, hoy México, donde se derogaría la Constitución de Cádiz y con lo cual el rey, Don Fernando de Borbón, podría seguir gobernando como el déspota, cabrón, absolutista que siempre había sido desde chiquito. La verdad, Fernando VII nunca ha sido "mi tacita de té" básicamente porque cuando le ofrecieron la Nueva España ¡no la aceptó el muuuuuy mamón! Y no es que crea que con él hubiéramos estado mejor; todo lo contrario, gobernados por Fernando VII con toda certeza nos hubiera ido como le fue con él a España: del nabo, pero ese desaire la verdad sí me ofende, además no soy el único al que le cae mal este personaje; históricamente al último periodo de su reinado (que en realidad comprende la época en que de verdad empezó a reinar) se le conoce con el nombre de "La Década Ominosa". *No coments.*

26

(El toreo olímpico)

Los conspiradores de la iglesia de La Profesa que con Iturbide organizaron nuestra Independencia sabían bien que Fernando VII detestaba profundamente a la Constitución de Cádiz, y eso debió haber sido razón suficiente para que el rey viniera corriendo feliz hasta México para gobernarnos, pero ya que le habían conseguido a Don Fernando un reino a modo para septiembre de 1821, éste no quiso venir a regirnos, ni mandar a nadie de su familia, o ya de perdida mandar a un virrey a que lo hiciera; de hecho, lo único que nos mandó fue al carajo, y este sorpresivo vacío de poder fue lo que dio origen al primer imperio mexicano en 1822 con Iturbide como emperador, que duró sólo unos meses; éste fue el primer gobierno que podemos llamar realmente nacional.

27

Iturbide y los conspiradores de La Profesa cayeron en el típico error de CAMBIAR PARA QUE TODO SIGA IGUAL, y como siempre pasa cuando se hacen estas cosas, lo único que consiguieron fue cambiarlo todo para siempre. Este error, aunque muy viejo, es muy común. Le pasó a Miajil

Gorvachov cuando metió la Perestroika y la Glasnost en la Unión Soviética; le pasó a Carlos Salinas cuando metió al IFE en México; y le pasó a Alejandra Guzmán cuando metió una sustancia desconocida en sus nalgas para que su palmito mantuviera esos prodigiosos 180 grados que siempre han tenido. Moraleja: Si quieres que algo siga igual, no cambies nada, punto. De hecho, si no se hubieran acelerado los monárquicos y clericales e Iturbide contra la Constitución de Cádiz y se hubieran esperado dos años más, se hubieran evitado todo el fiasco, pues en 1823, con la llegada de los 100 mil hijos de... San Luis, fue suprimida definitivamente la Constitución de Cádiz en todo el imperio español, regresando al sistema anterior y aquí no pasó nada. Lamentablemente para ellos, México ya no era parte de su imperio para esas fechas. Estos 100 mil hijos de... San Luis fue un ejército de mercenarios franceses hecho con los saldos del ejército napoleónico que, como andaban sin chamba, aceptaron gustosos volver a invadir España. Esto de facto se convirtió en la segunda ocupación francesa para los españoles, pero irónicamente ahora este ejército francés venía a imponer a Fernando VII, no a apresarlo.

Así que el nombre oficial de la plaza principal de México es Plaza de la Constitución y se le puso en 1813, en honor de la Constitución de Cádiz, sustituyendo al nombre oficial anterior, que era el de Plaza Real. (Con una breve comparación entre los dos nombres oficiales se puede ver claramente quién mandaba.) El nombre oficial de El Zócalo hace referencia al documento que hizo completamente españoles a los mexicanos y fue justo por eso que nos independizamos. Lo que sea, antes que nos obliguen a hablar pronunciando la *ce* y la *zeta*. Contra la Constitución de Cádiz se sublevó el movimiento de Independencia que SÍ tuvo éxito, el de Iturbide, y el cual se hizo justo para evitar que se aplicara en México esta constitución. Es decir, esta plaza lleva el nombre en honor a lo que aborrecían los que hicieron la Independencia de México, y quizás fue por eso que después de la Independencia se conservó éste como el nombre principal de la plaza, sólo para joder a Iturbide.

Ahora hablaremos del verdadero nombre de este sensacional lugar:

EL ZÓCALO.

En este sitio, que sin duda es la plaza más importante de México, estuvo la estatua ecuestre del rey Carlos IV (declarado oficialmente papá de Fernando VII), y que todos conocemos como *El Caballito*. Después de la Independencia, esta gran estatua tuvo que ser removida, pues no era políticamente correcto que un rey de España ocupara el lugar principal de la plaza principal del país... La estatua de *El Caballito* fue a dar en 1822 a uno de los patios del Palacio Nacional y en su sitio se prometió colocar un gran monumento que conmemorara la Independencia nacional. Este gran monumento que debía rivalizar e incluso superar a la magnífica estatua ecuestre que Manuel de Tolsá hizo de Carlos IV no empezó a construirse sino hasta 1844, durante uno de los gobiernos de Santa Ana, que levantó en el centro de la plaza, justo donde había estado la estatua de *El Caballito*, un *zócalo*, base o plinto para colocar sobre él un monumento a la independencia nacional. Sin embargo, el monumento nunca fue construido, pues el dinero para esta obra se gastó en otra cosa, y este zócalo permaneció solitario en medio de la plaza por muchos años, esperando que se pusiera allí la obra monumental que debía de recibir esa plataforma. A partir de entonces, expresiones como "nos vemos en el zócalo", comenzaron a confundir el nombre de ese basamento con el de la plaza, y la palabra zócalo se convirtió en el nombre de la plaza. Para acabarla de amolar, los chilangos, que tenemos la pésima costumbre de pensar que lo que pasa en nuestra ciudad es lo que pasa en todo México, y lo que pasa en nuestra colonia es lo que pasa en la Ciudad de México, y lo pasa en nuestra casa es lo que pasa en nuestra colonia, terminamos imponiendo el nombre de zócalo para denominar cualquier plaza principal en cualquier población; así pues, es común y aparentemente correcto escuchar expresiones como El zócalo de Mérida, el zócalo de Campeche, el zócalo de Guadalajara, el zócalo de Zangoloteo El Chico, el zócalo de Sitecapan de Abajo, el zócalo de Sitencuero, Michoacán, y así… incluso decimos: *En el zócalo de la Ciudad de México*, cuando en realidad no hay otro "zócalo" en todo el país. En todo caso, el nombre real para la plaza principal de la Ciudad de México es El Zócalo; es más, de seguro que si le dices a alguien "Nos vemos en la Plaza de la Constitución" no se entera de cuál fue el lugar donde lo citaste, pero si dices "Nos vemos en El Zócalo", todo mundo entiende claramente a qué lugar te refieres desde 1844.

30

Siempre he pensado que este nombre de El Zócalo es como una metáfora de México, pues alude a la base para una obra monumental inconclusa… Ya tenemos la base perfecta… cuando hagamos lo que le vamos a poner encima ahora sí esto va a quedar chingonsísimo. Finalmente, después de 177 años, la obra inconclusa del gran monumento a la independencia que iba a ir en el centro de esta plaza la resolvió el presidente Zedillo, tras organizar un curioso negocio durante su sexenio: el de las banderas monumentales, con lo que se demuestra que el tamaño sí importa.

En 1999, el entonces Presidente de México, Ernesto Zedillo, dio inicio a un programa para construir banderas gigantes en el país. Por cierto, la tecnología para hacer banderas descomunalmente grandes es una patente mexicana. Dicho programa fue implementado por la Secretaría de la Defensa Nacional, que erigió banderas gigantescas en varias ciudades del país. En un decreto publicado el 1 de julio de 1999 por el presidente, se establecía que las primeras banderas debían ser localizadas en la Ciudad de México, Tijuana, Ciudad Juárez y Veracruz. En dicho decreto también se indicaba que las medidas de las banderas deberían ser de 14.3 metros por 25.0 metros, sobre astas de 50.0 metros de alto. A partir de estas obras se inició una competencia entre las diferentes ciudades por ver quién la tenía más grande, pues en las nuevas plazas comenzaron a poner banderas cada vez más grandes. Para el año 2005 se habían contabilizado 63 banderas monumentales, cuyas alturas fluctuaban entre 50.0 y 110.0 metros de altura; y el 22 de diciembre de 2010 fue inaugurada la bandera más grande de América, ubicada dentro del complejo de "La Gran Plaza" en Piedras Negras, Coahuila, desplazando a la situada en Iguala. Esta bandera tiene un tamaño de 60.0 por 34.0 metros, y el asta tiene 120.0 metros de longitud y un peso de 155 toneladas…; si hiciera viento en Piedras Negras, esta bandera podría darle sombra a toda la ciudad.

Volviendo al tema. El monumento a la Independencia en el centro de el zócalo que nos prometieron desde la Independencia nos lo dio Zedillo en el año 2000, fecha en que se colocó la bandera monumental en el centro de la plaza y que sí resultó ser una obra capaz de superar a la estatua de *El Caballito*, pues en 2008 se efectuó un concurso de belleza para banderas organizado por el diario español *20 minutos*, y en ese certamen salió ganadora la bandera mexicana como la más bella del mundo, y el 30 de junio de 2008 fue declarada formalmente *"Miss lábaro patrio"* con 901 mil 627 votos y una diferencia de 560 mil 726 votos respecto a la de Perú, que obtuvo 340 mil 901 votos y quedó en segundo lugar. O sea que la bandera mexicana ganó por K.O. De acuerdo con el sitio del diario español, durante los 48 días que duró este concurso más de siete millones y medio de votos fueron emitidos y se recibieron más de 25 mil comentarios. La bandera mexicana tuvo que soportar una feroz eliminatoria entre 104 banderas de todo el mundo, y los cibernautas pidieron por su bandera favorita, accediendo a la dirección electrónica 20minutos.es. Personalmente, no entiendo por qué ningún político mexicano impugnó esas elecciones, como es nuestra costumbre, ni tampoco por qué ningún producto de belleza hizo alguna campaña publicitaria de sus productos usando la bandera que ganó el certamen; en todo caso, ya con el certificado oficial de que la bandera mexicana es la más bella del mundo (cualquier cosa que esto signifique) podemos decir que ya nos cumplieron el compromiso de poner un gran monumento a la Independencia en El Zócalo mucho más hermoso que la estatua ecuestre de Carlos IV. Como dato curioso, para dar una referencia de la proporción del monumento de *El Caballito* a los turistas que visitan la Ciudad de México, se dice que dentro de esta escultura caben 25 personas...; bueno, pues en el asta de la bandera monumental de El Zócalo, que es de 50.0 metros de altura, caben 29.41 hombres, así que hasta en eso le gana la súper bandera a *El Caballito,* claro suponiendo que todos esos hombres midan 1.70 metros.

CON LA VARA QUE MIDAS SERÁS TE-MIDO.

Otros datos curiosos sobre las medidas de El Zócalo

De haber sabido que en este mitín daban zapatos, no vengo.

En El Zócalo si no ha pasado todo, ahí termina. Es el escenario por excelencia de los actos políticos, los desfiles, las manifestaciones, las ceremonias cívicas, las ceremonias religiosas y los cierres de campañas presidenciales.

Una característica de todos los candidatos mexicanos a la presidencia es que compiten entre ellos por demostrarnos quién la tiene más grande, me refiero a la capacidad de convocatoria, claro; incluso en la época en que el único partido era el PRI, los candidatos a la presidencia competían contra las cifras de su predecesor del mismo partido cuando fue candidato en eso de meter más gente al zócalo.

Si la competencia de llenar El Zócalo fuera prueba olímpica, México ganaría todas las medallas de oro, pero a los partidos no los mantendría el IFE, sino la CONADE, que da mucho menos lana, por eso no han legislado para impulsar este deporte.

En el 2006 se rompió un nuevo récord en esta competencia, que no fue el de la mayor cantidad de gente concentrada en El Zócalo, sino el de la mayor declaración de gente concentrada en él; el hombre que impuso este récord fue López Obrador, que durante su cierre de campaña como candidato a la presidencia en ese año declaró que había metido al Zócalo a 3 millones de personas, más o menos la misma cantidad de gente que vive en Madrid. Las fotos del cierre de campaña del Peje en el 2006 son de antología: El Zócalo se ve repleto, colmado y claramente se observa que ya ahí no cabe ni la sombra de una persona más, pero…, ¿son 3 millones de personas?

Esta duda dio lugar a una apasionada polémica entre los periódicos *Reforma* y *La Jornada*, el primero para demostrar que no había podido meter toda esa gente y el segundo para comprobar que sí lo había hecho. Al principio el método científico usado para hacer la demostración de la cantidad de personas era por aproximación sentimental. Se le mostraba una foto del cierre de campaña del Peje en El Zócalo a una persona que lo detestaba y decía: "No son 3 millones, a lo más pueden ser 250 mil personas", y los que estaban a favor del Peje veían la misma foto y decían: "Ahí clarito se ve que son 3 millones sesenta y dos personas y puede llegar a 3 millones sesenta y tres si contamos al que tomó la foto".

Los de el *Reforma*, un poco mosqueados porque la polémica se había estancado en una guerra de posiciones de las que ya nadie pasaba, recurrieron a la física dura y argumentaron lo siguiente: El Zócalo ocupa una superficie casi rectangular de aproximadamente 46,800 m^2 (195.0 m x 240.0 m) y si pensamos que caben 4 personas por metro cuadrado ya en condición de hacinamiento absoluto, entonces al Zócalo le caben 187,200 personas, colocadas en una circunstancia en donde ni siquiera hay espacio para que alguien se pueda echar un pedo porque el aire desplazado produciría un efecto dominó donde todos los congregados terminarían cayendo en menos de 5 segundos y eso sin pensar que la honda expansiva además destruiría la Catedral y el Palacio Nacional.

Contra este argumento se refutó que en las cuentas que hacía el periódico *Reforma* sólo se consideraba el área del Zócalo y no el resto de las calles y banquetas que rodean a la plaza.

Los "científicos" del diario *Reforma* contraargumentaron que en total el área que rodea al Zócalo tiene una superficie menor que la de la plaza, pero suponiendo que fuera la misma área sólo podría caber como máximo el doble de lo que ya habían señalado, es decir, un total de 374,400 personas; un aforo impresionante, sí, pero muy, muy lejos de los 3 millones de personas. Incluso para apoyar este argumento mandaron hacer una colosal ampliación de una foto aérea de la plaza y colocaron un alfiler en la cabeza de cada persona que aparecía en la imagen y contaron mucho menos que los 187,200 individuos que habían concedido en el principio de la cuestión. Desde luego, varios militantes de izquierda declararon que con esto de los alfileres el periódico derechista les estaba haciendo en realidad budú.

Para desechar esta nueva consideración, los partidarios del Peje aclararon que en estos cálculos no se consideraba que los contingentes que acudieron al Zócalo en ese cierre de campaña no pudieron entrar a la plaza por la cantidad de gente que había y se quedaron desparramados en las calles que rodean el lugar, que éstos no fueron contados por los cálculos del *Reforma* (por cierto, no están en la foto que originó este debate) y que sumando a estas personas se llegaba a los 3 millones de simpatizantes en este acto político.

En este punto, los del diario *Reforma* decidieron zanjar al polémica, pues la verdad siguiendo ese razonamiento podría decirse que López Obrador había podido meter al Zócalo a los 8 millones de habitantes de la Ciudad de México, o a los 20 millones de toda la Zona Metropolitana o a los 100 millones de habitantes que entonces se calculaba que éramos en México.

Sin embargo, la duda de cuántas personas hacen que El Zócalo se vea repleto prevaleció y encontrar una medida científicamente comprobada para este cálculo se convirtió en una obsesión de los medios de comunicación y en un tabú para los partidos políticos.

Irónicamente, la respuesta científica de cuántas personas se necesitan para que en una foto se vea repleto El Zócalo la dio un artista: el fotógrafo Spencer Tunick cuando hizo sus célebres fotos de desnudos en la plancha del Zócalo.

El dato se obtuvo gracias a que para poder ser retratado en pelotas en El Zócalo los interesados debían llenar un formulario y sólo con este documento podían entrar a la plaza a participar en la foto, pues por derechos de autor y demás protecciones legales y comerciales de la obra cada participante debía ceder sus derechos y dar la autorización del uso de su imagen; este requisito hizo que forzosamente se tuviera un registro, no sólo de la cantidad exacta, sino hasta del nombre y sexo de cada persona que salió en esas fotografías. La convocatoria para estas tomas rebasó todas las expectativas y para el día previo a la sesión fotográfica ya había más de 18 mil personas registradas por Internet.

La cita fue a las 4:30 a.m. en el Zócalo y, como siempre pasa en nuestro país, llegaron un montón sin boleto; para evitar que dieran el primer *portazo nudista* del mundo, se le tuvo que dar un formato de registro allí mismo a la gente que no contaba con él y se dieron casi 2 mil más de estos documentos. Por lo cual se calcula que el número de asistentes a este evento fue de cerca de 20 mil personas. Una cifra mucho mayor que la esperada, que incluso rompió el récord anterior de las 7 mil personas que se retrataron desnudas en Barcelona (en la ciudad de Barcelona, no embarazadas).

En las fotos de Tunick, El Zócalo se ve completamente lleno y como todos están desnudos podemos decir que la plaza sí se ve hasta el culo. Éste es el único esfuerzo con datos duros, contundentes e inobjetables para documentar cuántas personas se necesitan para que se vea repleto el Zócalo en una fotografía. Este dato se obtuvo el domingo 6 de mayo de 2007. Es por eso que propongo la siguiente tabla de medición para calcular el aforo en El Zócalo en las fotos de los próximos cierres de campaña en esta maravillosa explanada.

EL ZOCALÓMETRO
UNIDAD: EL TUNICK.

Cómo se utiliza: Se ve la foto del acto político que se desea medir, se compara la cantidad de gente que aparece allí con la de los desnudos de Tunick en El Zócalo y así se calcula la cifra real más aproximada.

Estas imágenes se pueden encontrar fácilmente en Internet.

EJEMPLO:

Un tunick = 20 mil personas.

Dos tunicks = 40 mil personas.

Tres tunicks = 60 mil personas.

Cuatro tunicks = 80 mil personas.

Cinco tunicks = Un chingo (pasando las 100 mil personas esta medida ya no es tan exacta).

39

Por supuesto, esta medida puede tener fracciones, así por ejemplo podemos decir que tal manifestación fue de dos y medio tunicks, es decir, 50 mil personas, o que tal concentración masiva fue de .05 tunicks, esto es, unas 10 mil personas.

Ojo: Esta medida sólo sirve para El Zócalo, por lo que sugiero que en cada ciudad llenen su plaza principal con gente desnuda y les tomen una foto cuando esté hasta el culo para tener la misma referencia.

LA PÉRDIDA DE TEXAS.

No perdimos, sólo no ganamos.
Beatriz Paredes, ex presidenta del PRI.

*Jamás interrumpas a tu enemigo
cuando está cometiendo un error.*
Napoleón Bonaparte.

(Las armas biológicas del tercer mundo)

fuego...

Desde que tengo memoria (con el Alzheimer esto es hace como cinco minutos), una de las heridas esenciales de la mexicanidad es la guerra con los Estados Unidos. La mitad de los mexicanos estamos traumados porque los estadounidenses se quedaron con más de la mitad de nuestro territorio y la otra mitad no porque no quisieron quedarse con todo. Este conflicto tuvo su preámbulo con la guerra de Texas. Todos sabemos que este estado pasó finalmente a formar parte de los Estados Unidos de Norteamérica y dejó de integrar a los Estados Unidos Mexicanos luego de ser una efímera república; así que todos los hechos apuntan a que perdimos esta guerra, ¿pero cómo fue que la perdimos cuando prácticamente ya la habíamos ganado? No me lo van a creer...

En 1835, con ese entusiasmo latinoamericano de creer que con una nueva constitución se van remediar todos nuestros males y que con una reforma a la ley de gravedad ahora sí vamos a tener erecciones sin necesidad de usar viagra, los mexicanos hicimos una nueva constitución que cambió al país de un orden federalista, donde cada estado elegía a su gobernante, a uno centralista, donde el presidente elegía al gobernador de cada estado, que desde ese momento en adelante se denominaría Provincia; esto desde luego provocó conflictos con todos en todo el país y la disputa entre ambos modelos continuó durante décadas. (La verdad, sólo durante la época del PRI se logró un equilibrio entre las doctrinas centralista y federalista, ya que el presidente elegía quién iba a ser el gobernante de cada estado y luego los habitantes de cada entidad de la federación votaban por él.) El rechazo a la nueva constitución fue inversamente proporcional a la cercanía de cada entidad con la capital del país; y tres de los estados más alejados de la ciudad de México se separaron, declarándose unilateralmente repúblicas a partir de 1836: Texas, Tamaulipas y Yucatán. La república yucateca fue convencida casi inmediatamente de reincorporarse a México, la de Tamaulipas fue disuadida de la idea de continuar su independencia con la sola presencia del ejército mexicano en su territorio, pero la de Texas tenía a los estadounidenses como sus patrocinadores y de plano desde el principio se vio claramente que la única manera de volverla a meter al país era a trancazos.

Bandera de la *República del Río Grande*, integrada por Tamaulipas y parte de Nuevo León y Coahuila.

Bandera de la *República de Yucatán*.

42

Bandera de la *República de Texas*.

Las leyes centralistas que ocasionaron este relajo fueron promovidas por el general presidente Antonio López de Santa Anna; sin embargo, él no las implementó, pues previendo claramente el desmadre que se iba a armar en cuanto las aplicaran, astutamente había pedido licencia en el cargo de Presidente de México, y estas leyes fueron promulgadas por un presidente interino que tenía el curioso nombre de Justo Corro, y como dicen los clásicos: nombre es destino. Cuando empezaron a separarse estas *provincias* del país, el presidente Justo Corro *justamente salió corriendo,* y regresó Santa Anna en su papel favorito del héroe providencial y se puso a la cabeza del gobierno para volver a meter al huacal a los estados rebeldes. Para el caso de Texas creó un fabuloso ejército de voluntarios que se engrosó por dondequiera que iba pasando en su camino rumbo al norte. El 23 de febrero de 1836, esta fuerza llegó a Texas con una cantidad de 6 mil hombres, mucho después de lo que Santa Anna había prometido, pero con muchos más soldados de los que había ofrecido. La cantidad de efectivos mexicanos en esta campaña es importante, ya que Austin, en ese momento el máximo general de los texanos, tenía en esas fechas sólo 600 soldados mal armados dentro del recién formado ejército regular de la república de Texas; y como no tenía para pagarles, el salario de esta tropa era de tierra, es decir, les ofrecieron propiedades en Texas por alistarse, las cuales, desde luego, sólo podían estar garantizadas si México no recuperaba este territorio, por lo que en realidad a estos soldados les estaban pagando con billetitos del banco de la ilusión.

43

Desde el principio de la campaña, Santa Anna declaró que no habría clemencia para los texanos. Oficialmente, los rebeldes fueron considerados traidores y piratas, por lo que de caer prisioneros serían ejecutados inmediatamente; esta severa condición en la que se dio la guerra de Texas se debió a dos razones: 1) A Santa Anna le cagaban los amotinados texanos, pues en su mayoría eran un grupo de emigrantes anglosajones que ni eran católicos, ni habían nacido en México y que se aprovecharon de las ventajas que les dio el país para colonizar esa zona; y 2) La verdad tenía prisa por regresar a la ciudad de México, pues bien sabía que mientras él estaba combatiendo lejos, cualquiera se podía sentar en su silla, y en la capital se podía producir un golpe que tumbara a su gobierno, digo, él lo había hecho, por eso sus temores no eran infundados.

Desde que llegó el ejército mexicano ganó todos los enfrentamientos con los insurrectos texanos; el general Urrea, que fue el primero en entrar en combate contra los texanos, recuperó la ciudad más importante: San Antonio de Béjar (hoy San Antonio Texas), y dondequiera que encontró a los separatistas los exterminó.

Los rebeldes concentraron el grueso de sus fuerzas en el fuerte de El Álamo, esperaban refuerzos pero la ayuda jamás llegó. El 6 de marzo de 1836 fue tomado el fuerte y no se dejó uno vivo. Se calcula que en esta batalla murieron 250 texanos. Lo de la tolerancia cero de Santa Anna iba en serio, poco antes, el 2 de marzo, en la batalla de Agua Dulce, los mexicanos capturaron al coronel texano Fannin, junto con 400 de sus hombres y todos fueron ejecutados, con lo que haciendo cuentas tenemos que si al inicio de la guerra el ejército texano tenía unos 600 soldados regulares y había perdido 250 en El Álamo y 400 en Agua Dulce, podemos decir, sin lugar a dudas, que para el 7 de marzo de 1836 el ejército regular de la república de Texas ya no existía; y lo que quedaba oponiendo alguna resistencia a la ocupación mexicana eran algunas guerrillas desorganizadas perdidas en los montes que no querían rendirse, y no por el celo de su causa, sino por los términos de guerra que había impuesto Santa Anna, ya que serían fusilados por traición donde los agarraran. ¡La guerra de Texas ya la habíamos ganado! Bueno, es un decir, porque como dicen en el futbol: "Esto no se acaba hasta que se acaba".

La batalla de San Jacinto.

La pérdida de Texas se debió a una sola "derrota militar", la única que tuvo el ejército mexicano durante la campaña para la reconquista texana: la de La batalla de San Jacinto que, como se verá, no puede llamarse precisamente batalla, ni tampoco puede decirse que existió allí una derrota militar.

Para finales de abril el ejército mexicano avanzó hacia la última población controlada por los rebeldes: Harrisburg, y lo que quedaba del ejército texano salió a su encuentro, ambas fuerzas se encontraron cerca del río San Jacinto. El general presidente Antonio López de Santa Anna iba al mando de 1,500 hombres, los cuales fueron reforzados por 540 más del general Cos, un contingente mucho muy superior al de los sediciosos texanos, por lo que Samuel Huston, jefe de estas fuerzas texanas, dio la orden de no atacar y aclaró que tampoco iría a reforzar a sus hombres en este punto, pues, además de que militarmente no tenía mucho más con qué enfrentar a los mexicanos, se acababa de romper un tobillo.

45

El 20 de abril las fuerzas texanas y mexicanas quedaron observándose en una tensa calma; finalmente, el 21 de abril de 1836, violando las órdenes de Huston, sus fuerzas atacaron. Este "enfrentamiento", consignado oficialmente por ambos bandos con el pomposo nombre de "La batalla de San Jacinto", duró sólo 8 minutos y la acción más importante consistió en que una patrulla de guerrilleros texanos se encontró inesperadamente con el campamento de Santa Anna, en donde éste se encontraba ¡tomando una siesta!, y lo tomaron prisionero. Una vez capturado, la guerra de Texas se convirtió en un juego de ajedrez. Nos ganaron por *jaque mate* al presidente.

Bajo amenaza de muerte, Santa Anna firmó el reconocimiento de la república de Texas[1] y ordenó la retirada del ejército mexicano, que prácticamente ya había ganado la campaña. Este es un hecho tan embarazoso de creer que la verdad es mejor que Santa Anna nos lo cuente. La siguiente cita viene de un documento exculpatorio hecho por este personaje a su regreso a México, que se suma a la larga zaga de libros exculpatorios hechos por políticos mexicanos. Es aquí donde Santa Anna comenta brevemente lo que fue "La batalla de San Jacinto".

> … Nunca pensé que un momento de descanso ya inevitable nos fuese tan funesto.

> …A las dos de la tarde del día 21 de abril de 1836 me había dormido a la sombra de un encino, esperando que el calor mitigara la marcha, cuando los filibusteros sorprendieron mi campo con una destreza admirable.

Esta "batalla", con mucha más precisión, también se conoce históricamente con el nombre de "La siesta de San Jacinto". [2]

46

1 En su momento siempre se dijo que la firma de reconocimiento de la república de Texas por parte de Santa Anna no tenía validez, ya que se le había sacado como prisionero y bajo amenaza de muerte; también se dijo que aun si lo hubiera tenido, el documento tenía que haber sido ratificado por el congreso mexicano para que fuera legal, cosa que no ocurrió; y aun si el congreso lo hubiera hecho, también tenía que haber sido aprobado por *El Supremo Poder Conservador*, una curiosa figura inventada en la constitución centralista de 1835 y que era un cuarto poder superior al ejecutivo, el legislativo y el judicial. Éste era la última y única instancia facultada para reconocer la separación de Texas, cosa que tampoco pasó. Lo que si pasó fue que a los texanos los dejamos en paz organizando tranquilamente su anexión a los Estados Unidos, pues después de la expedición de Santa Anna nunca más volvimos a lanzar un ejército para reconquistar Texas.

2 Existe una versión histórica que afirma que no agarraron a Santa Anna durmiendo sino cogiendo, y esa fue la razón por la que colocó su campamento lejos de su tropa. Conociendo a Santa Anna, cualquiera de las dos pendejadas durante la "batalla" puede ser cierta.

SACANDO UN PEDESTAL.
(SIN ALBUR)

Ni monumentos ni estatuas, yo
sólo quiero que me hagan un busto.
Sabrina, cantante argentina de *rock punk*.

En 1824, durante el gobierno de Vicente Guerrero, se decretó una limpieza étnica en México y se ordenó la expulsión de todos los españoles del país; y al amparo de esta disposición oficial surgió un grupo de talibanes mexicanos que pretendía fundir la estatua de *El Caballito* sólo para destruirla, pues esta obra recordaba el terrible pasado español. Curiosamente ninguno de este grupo pretendió también cortarse la lengua, pues el idioma que hablaban también debía recordarles ese terrible pasado español, ni tampoco cambiar sus apellidos, ni su religión para quitarse de encima la ignominiosa herencia hispana; por esta razón la estatua de Carlos IV tuvo que ser escondida en la Escuela de Medicina, antes el Palacio de la Santa Inquisición, y fue gracias a las rápidas gestiones de Don Lucas Alamán, quien se adelantó a este grupo de nacionalistas, que se salvó ese maravilloso monumento y que hoy todos podemos admirarlo.

Sin embargo, los ataques vandálicos contra monumentos son una tradición mexicana y son tan populares que podríamos considerar esta actividad como el verdadero deporte nacional, en lugar de la charrería. Aquí va una lista de algunos monumentos destruidos o alterados por el entusiasmo popular.

MONUMENTO	DESCRIPCIÓN	MOTIVO DE SU DESTRUCCIÓN
Monumento a Hernán Cortés	Obelisco colocado en la época de la colonia junto al Hospital de Jesús. Fue hecho pomada en 1824.	Nos recordaba que Hernán Cortés había existido.
Mausoleo a la pierna del general Santa Anna	Columna triunfal con motivos bélicos colada en el panteón de Santa Paula en 1842.	Ver si así el presidente Santa Anna podía dejar de meter la pata.
Estatua de Cristo Rey	Monumento cristero puesto en el cerro del Cubilete, en Guanajuato, en 1926.	Fue bombardeado por el gobierno; y como se encontró la cabeza de la estatua más o menos completa, esto fue considerado por los cristeros un milagro. Es una lástima que no se piense lo mismo ahora que se encuentra alguna cabeza.
Monumento a Colón	Glorieta con estatua en el Paseo de la Reforma de la Ciudad de México. La escultura es de 1910, pero sus ataques recurrentes comenzaron en la década de los 80 del siglo XX.	Esta estatua desde hace años es ultrajada por diversos grupos indigenistas que se manifiestan en ella todos los 12 de octubre. Aún no está claro si su reclamo es que por culpa de Colón llegaron los europeos a América o porque demostró que la Tierra no era cuadrada.

49

MONUMENTO	DESCRIPCIÓN	MOTIVO DE SU DESTRUCCIÓN
Estatua de Venustiano Carranza	Explanada de la Delegación Venustiano Carranza.	A principios de la década de los 90 fue derribada por un bombazo de un grupo guerrillero que se adjudicó este atentado. Jamás explicó por qué lo hizo. Por cierto, gracias a este acto el Delegado se enteró quién había sido Venustiano Carranza.
Monumento a Vicente Fox	Estatua colocada por el ayuntamiento del municipio de Boca del Río, Veracruz, en 2007.	Este monumento fue tirado por los priistas veracruzanos. Lo volvieron a levantar y los priistas regresaron a tirarlo otra vez; esta acción se repitio 4 veces, hasta que le robaron las manos al monumento en el último ataque y el ayuntamiento se llevó la estatua a reparar, desde entonces no la han vuelto a poner.
Las estatuas prohibidas de Ponzanelli	Conjunto de estatuas de desnudos femeninos colocadas a lo largo de la avenida Miguel Ángel de Quevedo de la Delegación Coyoacán. Fueron colocadas en los años 70 del siglo XX, durante el erótico sexenio de López Portillo.	En el sexenio de Miguel de la Madrid, cuyo régimen estaba enfrascado en una renovación moral, estas estatuas le parecieron obscenas a la esposa del presidente. Las esculturas fueron puestas para adornar el interior del *Mall* de Perisur, pero cuando fue de compras allí la esposa del presidente tuvieron que volverlas a quitar. A la fecha se desconoce su paradero, pero no me extrañaría nada que las tuviera el ex presidente Miguel de la Madrid sólo para joder a su esposa.

MONUMENTO	DESCRIPCIÓN	MOTIVO DE SU DESTRUCCIÓN
La Diana Cazadora. **Nombre verdadero de la obra: La flechadora de las estrellas del norte**	Monumento en Paseo de la Reforma. Obra inaugurada en 1942 por el presidente Manuel Ávila Camacho.	Debido a las continuas protestas de la Liga de la Decencia, a los dos años de inaugurada se le colocó a esta escultura ropa interior de bronce; las prendas sólo fueron colocada con tres puntos de soldadura por el autor de la obra, por lo que se pudieron retirar los calzones y el sostén de la estatua 24 años más tarde para las olimpiadas de 1968. En 1974 esta obra le pareció peligrosa para los automovilistas a la esposa del presidente Echeverría y fue removida de su ubicación privilegiada en la avenida Reforma. Esta percepción de la estatua como un peligro vial fue originada porque la Diana, además de estar desnuda, está buenísima. Al presidente Echeverría lo que le pareció obsceno de la escultura era que no llevara ningún traje folclórico. En el sexenio de Salinas, el regente Manuel Camacho Solís la regresó a su lugar original en 1992, y sin ropa interior de bronce.

51

MONUMENTO	DESCRIPCIÓN	MOTIVO DE SU DESTRUCCIÓN
Monumento a la justicia	Parque Eloy S. Vallina, en la ciudad de Chihuahua.	En junio de 1994, el H. ayuntamiento de Chihuahua reintegró a la ciudad de Chihuahua este monumento a la justicia que había sido robado años antes. Es una réplica de la estatua original, realizada por Ricardo Ponzanelli. Al parecer el monumento anterior no fue robado, sólo lo secuestraron.
Monumento al perro callejero	Insurgentes Sur y la calle de Moneda en la Delegación Tlalpan de la Ciudad de México.	Con esta obra se le rindió homenaje a más de tres millones de perros callejeros que hay en la Ciudad de México; la escultura fue promovida por Milagros Caninos, A.C., e inaugurada en 2008. Para el año siguiente, ya en seis ocasiones habían atropellado este monumento.

MONUMENTO	DESCRIPCIÓN	MOTIVO DE SU DESTRUCCIÓN
Monumento a los Montejo	Paseo Montejo, en Mérida, Yucatán.	Escultura que representa a Francisco Montejo y a su hijo, fundadores de la ciudad de Mérida. Fue colocada por el ayuntamiento de esta ciudad en junio de 2010. Desde su inauguración, esta escultura fue atacada y repudiada por diversas organizaciones mayas; en agosto de 2010 formalizaron una petición a las autoridades de la ciudad para que retiraran la estatua, pues les parecía un agravio para los pueblos indígenas el recuerdo de estos conquistadores. Es posible que por las mismas razones pidan después a las autoridades que retiren también el Paseo Montejo y la ciudad de Mérida.

53

LA INCREÍBLE Y HEROICA HISTORIA DE HIMNO NACIONAL MEXICANO.

Pregunta: ¿Quién fue masiosare?

Respuesta:

ⓐ Un extraño enemigo.

ⓑ El último emperador purépecha.

ⓒ El cantante del grupo Café Tacuba.

Tomado del examen de capacitación para la prueba ENLACE.

54

Hace algunos años al pobre "Coque" Muñiz le cayó como mal fario el estigma de no saberse el himno nacional porque en la ceremonia previa a un encuentro deportivo internacional, donde participaba un atleta mexicano, se le olvidó parte de la letra del himno y por esta razón fue multado; esta amonestación fue completamente injusta, pues en México NADIE se sabe completa la letra del himno nacional, debido a que su versión original fue editada.

En México sólo se canta el 20 o 40% del himno de la versión original que escribió Francisco González Bocanegra, la cual constaba de 10 estrofas. De este largo poema, una parte fue recortada por motivos prácticos y otra fue censurada por motivos políticos. Existen en el himno mexicano 3 estrofas que NO se pueden cantar porque eran inaceptables para el gobierno (el que tumbó al gobierno que mandó a hacer el himno) y otras 3 no se pueden cantar porque la ejecución del himno sería demasiado larga. Es por eso que el himno que cantamos en la actualidad sólo consta de 4 estrofas, más el coro del poema original que se hizo en 1854, aunque generalmente sólo se entonan 2 en las ceremonias escolares (y en casi todas las demás); y ahora que el kínder es obligatorio, seguramente va a ser necesaria una versión todavía más corta para que los chamaquitos puedan aguantar serios y en posición de firmes hasta que acabe nuestro canto patriótico.

Las partes que oficialmente están censuradas de la versión original del himno mexicano por ser políticamente incorrectas son las estrofas 4, 7 y 9; y esta censura podemos decir que es leve si pensamos que a partir de 1855, tan sólo un año después de su creación, el himno fue prohibido completamente por las autoridades. Por otro lado, las estrofas 2, 3 y 8 no se cantan nada más porque no le gustaron a Manuel Ávila Camacho. Aunque la verdad hay que decir que las 4 que escogió para hacer el himno son las mejores.

55

La versión oficial del himno mexicano, que es la que usamos actualmente, apareció por primera vez en el decreto publicado el 3 de mayo de 1943 y en la ley se señala que el himno consta de 4 estrofas y un coro que se repite. De las 4 estrofas elegidas en ese año, por lo común sólo cantamos 2 en las ceremonias escolares, oficiales o deportivas y hasta en las versiones editadas que se ponen en algunas de las estaciones comerciales de radio al final de sus transmisiones; estas estrofas son la primera y la cuarta, a veces se cantan 3 estrofas y rara vez se cantan las 4 completas del himno oficial, aunque curiosamente el decreto del presidente Ávila Camacho reglamentó que el himno nacional debe cantarse siempre COMPLETO. Esta ley continúa en vigor, así que si uno quisiera joder a la Federación Mexicana de Futbol se puede acusar a la selección nacional ante la Dirección de Fomento Cívico de la Secretaría de Gobernación por la violación del decreto de la Ley del Himno Nacional de 1943 y así poder canalizar de manera institucional toda la enorme frustración que este equipo ocasiona en cada mundial.

El himno mexicano, aun en su versión oficial y súper corta de 1943, rara vez se canta completo. Tengo videos donde se ve y sobre todo se escucha claramente que tanto en las ceremonias dentro del Palacio Legislativo o en las oficiales del 15 de Septiembre sólo se cantan 2 estrofas y el coro, pero irónicamente Gobernación jamás ha multado por esto ni a los legisladores ni a todos los políticos mexicanos que están en su balcón dando El Grito, pues se debe pedir un permiso para cantar el himno oficial en su versión corta y seguramente lo tienen todos los miles de personas que estén echando desmadre en El Zócalo la noche del grito. En mi colección de interpretaciones "abreviadas" del himno nacional está la que hicieron en el año 2006 los priistas en cadena nacional, llorando en el auditorio de su partido cuando aceptaron que habían perdido por primera vez la presidencia de la República; sólo cantaron dos estrofas y el coro, a lo mejor porque el dolor ya no los dejó cantar más. Por cierto, hubiera sido la puntilla que al día siguiente los multara la Secretaría de Gobernación por violar la Ley del Himno Nacional de 1943.

En todo caso, de esta curiosa costumbre de abreviar el himno podemos concluir lo siguiente: Que si de las 4 estrofas que deben cantarse sólo se cantan 2 y así todavía se le olvidan al "Coque" Muñiz, ¡imagínense si las que se cantaran fueran las 10 originales!

El 60% del himno nacional que escribió Francisco González Bocanegra en 1854 fue eliminado por disposición oficial, lo cual en estricto sentido de los derechos de autor constituye una mutilación de la obra, pero como el dueño de los derechos universales de la obra es el Estado mexicano, éste le puede quitar o poner lo que le dé la gana; y si este derecho no fuera suficiente, para eso están los decretos, faltaba más; y debido al decreto de 1943 y a la Ley de Símbolos Patrios de 1982, para poder publicar el himno nacional se requiere solicitar un permiso ante la Secretaría de Gobernación y otro ante la Secretaría de Educación Pública en los que se informe detalladamente para qué se quiere publicar el himno, dónde se publicará, cuándo y cómo y, además, se debe presentar a las autoridades un domi exacto de cómo quedará impreso. Yo desde luego tuve que hacer este trámite y la SEGOB me dio el permiso, pero la SEP no. Vaya usted a saber. Es por esta razón que no voy a poder publicar el himno nacional sobre el cual trata este capítulo, pues aunque al hacerlo sólo haría algo "medio" ilegal, ya que cuento con uno de los dos permisos, de seguro que las autoridades no me van nomás a "medio" fregar.

En todo caso, para salvar este escollo legal, he consultado con los mejores abogados de derechos de autor[1] y lo que sí puedo hacer sin tener que pedir ningún permiso es publicar todas las estrofas de los versos del himno nacional

57

que escribió Francisco González Bocanegra en 1854 que NO aparecen en el decreto de 1943 y que por consiguiente NO están protegidas por tal ley; estas estrofas son las recortadas y las censuradas de la versión oficial, las que faltan ya ustedes las agregan; se las saben. Bueno, eso espero.[2]

En negritas están las estrofas censuradas por elogiar a personajes que quedaron del lado de los villanos en la historia nacional: Antonio López de Santa Anna y Agustín de Iturbide.

CORO
No lo puedo publicar por ser parte seleccionada
en el decreto de 1943.

ESTROFA I
No la puedo publicar por ser parte seleccionada
en el decreto de 1943.

CORO
No lo puedo publicar por ser parte seleccionada
en el decreto de 1943.

ESTROFA II
En sangrientos combates los viste
por tu amor palpitando sus senos,
arrostrar la metralla serenos,
y la muerte o la gloria buscar.

Si el recuerdo de antiguas hazañas
de tus hijos inflama la mente,
los laureles del triunfo, tu frente
volverán inmortales a ornar.

CORO
No lo puedo publicar por ser parte seleccionada
en el decreto de 1943.

ESTROFA III
Como al golpe del rayo la encina
se derrumba hasta el hondo torrente,
la discordia vencida, impotente,
a los pies del arcángel cayó;

Ya no más de tus hijos la sangre
se derrame en contienda de hermanos
sólo encuentra el acero en tus manos
quien tu nombre sagrado insultó.

CORO
*No lo puedo publicar por ser parte seleccionada
en el decreto de 1943.*

ESTROFA IV
**Del guerrero inmortal de Zempoala
te defienda la espada terrible,
y sostiene su brazo invencible
tu sagrado pendón tricolor;**

**Él será el feliz mexicano
en la paz y en la guerra el caudillo,
porque él supo sus armas de brillo
circundar en los campos de honor.**

CORO
*No lo puedo publicar por ser parte seleccionada
en el decreto de 1943.*

ESTROFA V
*No la puedo publicar por ser parte seleccionada
en el decreto de 1943.*

CORO
*No lo puedo publicar por ser parte seleccionada
en el decreto de 1943.*

ESTROFA VI
*No la puedo publicar por ser parte seleccionada
en el decreto de 1943.*
CORO
*No lo puedo publicar por ser parte seleccionada
en el decreto de 1943.*

60

ESTROFA VII
Si a la lid contra hueste enemiga
nos convoca la trompa guerrera,
de lturbide la sacra bandera
¡Mexicanos! valientes seguid:

Y a los fieros bridones les sirvan
las vencidas enseñas de alfombra;
los laureles del triunfo den sombra
a la frente del bravo adalid.

CORO
No lo puedo publicar por ser parte seleccionada
en el decreto de 1943.

ESTROFA VIII
Vuelva altivo a los patrios hogares
el guerrero a contar su victoria,
ostentando las palmas de gloria
que supiera en la lid conquistar:

61

Tornáranse sus lauros sangrientos
en guirnaldas de mirtos y rosas,
que el amor de las hijas y esposas
también sabe a los bravos premiar.

CORO
No lo puedo publicar por ser parte seleccionada
en el decreto de 1943.

ESTROFA IX
Y el que al golpe de ardiente metralla
de la patria en las aras sucumba,
obtendrá en recompensa una tumba
donde brille de gloria la luz:

Y de Iguala la enseña querida
a su espada sangrienta enlazada,
de laurel inmortal coronada,
formará de su fosa la cruz.

CORO
No lo puedo publicar por ser parte seleccionada
en el decreto de 1943.

ESTROFA X
No lo puedo publicar por ser parte seleccionada
en el decreto de 1943.

CORO
No lo puedo publicar por ser parte seleccionada
en el decreto de 1943.

62

Como podemos ver, Ávila Camacho se quedó con las mejores estrofas del himno, pues las que cantamos en él son en verdad los versos supremos del poema de González Bocanegra, lástima que *No los puedo publicar por el decreto de 1943*. La verdad, Don Manuel hizo una estupenda selección, lamentablemente no tuvo el mismo tino para elegir a su sucesor en la presidencia, aunque no hay que ser tan severos con él, pues, siendo sinceros, ningún presidente mexicano lo ha tenido. Pero..., ¿cómo fue que llegamos a la estupenda selección de las 4 estrofas y un coro que NO puedo publicar aquí? ¿Qué fue lo que nos llevó a esta admirable síntesis de las 10 estrofas originales?

ÉSTA ES LA HISTORIA.

En 1853, México tenía un gobierno conservador y Don Antonio López de Santana, un político con ideología bipolar, por aquel entonces nos gobernaba; aprovechando uno de sus periodos conservadores, se puso a trabajar en lo que ahora llaman *obras de Estado.* Ese año este personaje acababa de ocupar el cargo de preciso por onceava vez, así que como ya sabía dónde se encontraba el baño y la recamara en Palacio Nacional y, sobre todo, dónde estaba la salida de emergencia, tuvo tiempo de hacer muchas cosas, a pesar de lo breve de su gobierno (apenas dos años en esta ocasión). Entre las aportaciones de esta administración destacan: ponerle barba y bigotes postizos a los soldados como parte de su uniforme, nombrarse *Su Alteza Serenísima,* poner impuestos por los perros de compañía (una especie de tenencia para *puduls.* Sinceramente, no estaba tan errado, ya que si un día el gobierno pone un gravamen por tener solitarias, entonces sí se logrará que todos los mexicanos paguen impuestos). También de esta época es el famoso impuesto por la cantidad de ventanas de una vivienda, esta carga fiscal fue la que originó que México fuera el único país del

63

mundo donde se construían balcones sin ventanas; puso el primer impuesto a las apuestas, con el cual te iba mejor si perdías que si ganabas en las cartas o en los gallos; permitió que regresaran los jesuitas a México, previo pago por adela; vendió el territorio de la Mesilla a los Estados Unidos (hay que decir que este territorio estaba ocupado por el ejército gringo, pues necesitaban que por ahí pasara un tren, y con sus poderosos cañones estaban en el plan de *A ver, sácame, güey;* por eso esta venta tal vez sea el único acto de su gobierno donde Santa Anna no intentó hacer negocio, sino tomar la indemnización antes de que viniera la guerra con los gringos, no como en 1847, donde le hizo exactamente al revés). También durante este fugaz régimen dictaminó el color de los uniformes de los empleados públicos y según este código se podía distinguir a los diferentes burócratas, y la idea la verdad era buena, pues permitía saber a lo lejos si el funcionario que se acercaba te iba a multar, clausurar, notificar, inspeccionar o extorsionar (bueno, eso todos); sin embargo, de esta disposición surgió la penosa costumbre de que los léperos empezaran a gritar: "Ese de rojo, yo me lo cojo", después de añadir: "Ese de gris, lo visto de rojo y también me lo cojo", y así con todos los colores, por lo que el descontento dentro de toda la burocracia se generalizó en contra de esta medida; sé que esto no se dice, pero estoy seguro de que esta fue la verdadera causa que hundió a su gobierno. Otra disposición que tuvo Su Alteza Serenísima fue la de restituir la orden de los Caballeros de Guadalupe, crear una nueva comisión para buscar su pierna que se perdió en 1842, al final de su quinto mandato presidencial, tras el saqueo al mausoleo que le construyó a su heroica extremidad en el panteón de Santa Paula (qué mala pata), y como si todo esto no fuera suficiente, se dio a la tarea de impulsar un nuevo himno para nuestro país, para lo cual convocó a un concurso.

64

Para 1853 los mexicanos ya habíamos tenido otros himnos también salidos de concursos, los cuales fueron cantados en su momento y luego abandonados y olvidados al poco tiempo, así como si hubieran sido triunfadores de *La Academia;* el primer himno fue el de Torrescano, que apareció en 1821 y se desechó casi de inmediato, pues ni con judiciales lo hacían cantar. Luego vino otro hecho por José María Garmendia, cuyos primeros acordes decían así:

A las armas valientes indianos,
A las armas corred con valor;
El partido seguid de Iturbide;
Seamos libres, que no haya opresión[3]

Como podemos ver, este himno, además de ser un catálogo de ripios infames, donde todas las rimas tuvieron que sacarlas con *fórceps,* era políticamente incorrecto y tuvo que ser sacado de circulación una vez que fusilamos a Iturbide, así anduvimos sin himno nacional casi un cuarto de siglo y al parecer eso no le preocupaba a nadie, y como la verdad en esa época los mexicanos nos matábamos nada más por el clima (el debate de "¿hace frío o calor?" fue lo que provocó 5 años de guerra civil entre el partido bochornoso y el partido friolento), intentar hacer un himno que nos identificara a todos no podía ser más que el inicio de un nuevo conflicto armado, por lo que mejor nos quedamos muy orondos sin himno nacional hasta que en 1849 apareció en México un músico austriaco llamado Henry Hertz, que andaba de gira dando conciertos de piano por América. En uno de sus recitales, este hombre se dirigió al público de la ciudad de México lamentándose de que un país tan hermoso y tan amable como el nuestro no tuviera himno, y se ofreció a ponerle música a una letra que pudiera surgir de un certamen poético para este propósito, y gracias a esta promoción

65

se puso a trabajar lo más selecto de la sociedad chilanga, aprovechando que la música nos salía gratis. El 5 de agosto de 1849 los periódicos recogieron la propuesta y al día siguiente una entidad que se hacía llamar "La Suprema Junta Patriótica Metropolitana" llevó la oferta a la Academia Literaria de Letrán, y para el 10 de agosto ya se estaba abriendo el concurso. ¡Eso es diligencia!, estoy seguro de que si esta propuesta de la música la hubiera hecho un mexicano y no un austriaco, ahí mismo lo abuchean y le rompen el piano por andarse asegurando la ejecución de una obra pública sin antes pasar por una licitación.

De ese concurso del que debía salir el himno que por fin uniría a todos los mexicanos surgieron ¡dos himnos! declarados como vencedores, por lo que ya desde el mismo certamen quedábamos aún más divididos por el asunto del himno. Esta fue la razón: el 4 de septiembre de 1849 los académicos dieron su fallo, las disposiciones de la convocatoria especificaban que éste sería inapelable; el jurado escogió como vencedor el poema de un concursante que, como todos los del concurso, había participado con un seudónimo; y al rebelarse la identidad del ganador ocurrió lo peor que nos podía haber pasado en ese momento: un gringo fue el vencedor, míster Andrew Davis Bradburn, y esto tal vez no hubiera sido tan malo, si no fuera que apenas un año antes Estados Unidos nos había despojado de más de la mitad del territorio nacional en una traumática guerra en la cual no ganamos ni una sola batalla como premio de consolación; claro que los mexicanos nos podíamos habernos visto muy *open maind* al reconocer deportivamente el triunfo de Davis Bradburn y demostrar que no había *hard filings* contra los estadounidenses, pero, conociéndonos, por supuesto que esto no pasó, por lo cual de ese concurso salieron como ganadores dos himnos nacionales: el de Don Andrew Davis Bradburn y otro del poeta mexicano Félix María Escalante, el poema de este último fue musicalizado por el austriaco Henrry Hertz, que con un gran instinto político, y sobre todo mucho más instinto de conservación, prefirió los versos del mexicano para su composición. Míster Davis no se achicó ante el desaire y consiguió musicalizar sus versos, así que como si no tuviéramos suficientes problemas en México por estar divididos (como siempre), ahora además teníamos dos himnos nacionales que se declaraban "legítimos" y "oficiales". Afortunadamente, ya cuando se tocaron estas dos obras sí lograron unir a los mexicanos , pero en su contra. No les gustaron a nadie y fueron rápidamente olvidadas. El himno de Davis Bradburn empezaba así:

> Truene, truene el cañón, que el acero
> En la ola de sangre se tiña.
> Al combate volvamos; que ciña
> Nuestras sienes laurel inmortal.
> Nada importa morir si, con gloria
> Una bala enemiga nos hiere;
> Que es inverso placer al que muere
> Ver su enseña triunfante ondear. [4]

67

Como vemos, siempre nos han gustado los himnos llenos de trancazos.

En 1850, un poeta cubano, Juan Miguel Lozada, y el compositor Nicolas-Charles Bochsa, crearon un nuevo himno nacional, que tampoco pegó. Desde entonces se realizaron continuamente esfuerzos para lograr que México tuviera un himno nacional, como la propuesta del compositor italiano Antonio Barilli, la del húngaro Max Maretzek y la de otro italiano, Ignacio Pellegrini. Ninguno pegó. Y si en ese entonces los chinos hubieran estado en el plan que están ahorita con la producción de cualquier cosa, habríamos podido estrenar diez himnos diarios.

En 1853, Antonio López de Santa Anna ordenó un nuevo concurso para el canto a la patria; para ese momento ya llevábamos hechos como 8 himnos y de todos no se hacía uno. Este certamen le tocó organizarlo a Miguel Lerdo de Tejada, que era el Ministro de Fomento, Colonización, Industria y Comercio (eso sí era simplificación administrativa, ahora cada una de esas secciones sería dos secretarías de estado aparte); la convocatoria salió el 12 de noviembre de 1853 en el Diario Oficial y en ella se solicitaba la creación de un gran poema para la patria mexicana. Esta convocatoria fue redactada con la tediosa jerga de la burocracia y decía lo siguiente:

"Ministerio de Fomento, Colonización, Industria y Comercio.

Deseando el Señor Presidente que haya un canto verdaderamente patriótico, que, adoptado por el Supremo Gobierno sea constantemente el himno nacional, ha tenido a bien acordar que por este ministerio se convoque a un certamen, ofreciendo un premio, según su mérito, a la mejor composición poética que sirva a este objeto, y que ha de ser calificada por una junta de literatos nombrada para este caso. En consecuencia, todos los que aspiren a tal premio, remitirán sus composiciones a este ministerio en el término de veinte días, contados desde el de la primera publicación de esta convocatoria, debiendo ser aquellas anónimas, pero con epígrafe que corresponda a un pliego cerrado, con el que se han de acompañar y en el que constará el nombre de su autor, para que cuando se haga la calificación sólo se abra el pliego de la composición que salga premiada, quemándose las demás…."[5]

68

Aquí aparece la convocatoria tal como salió en el Diario Oficial de 1853

[reproducción facsimilar de una página del Diario Oficial de 1853, con columnas de difícil lectura]

AVISOS.

HIMNO NACIONAL.
CONVOCATORIA.

COLUMNA NACIONAL.
CONVOCATORIA.

TESORERÍA GENERAL DE LA

TESORERÍA GENERAL DE L

COMISARÍA GENERAL DE EJÉRCITO Y

MINISTERIO DE FOMENTO

Por cierto que en esta misma edición del Diario Oficial puede verse que el ministerio atendido por Don Miguel Lerdo de Tejada convocaba también a otro concurso para terminar la columna nacional que debía estar en el centro de la plaza mayor de la ciudad de México, cuyas obras habían quedado inconclusas, pues sólo se había terminado el basamento para poner este monumento, este "zócalo", que fue lo único que se llegó a construir de esta magna obra, y que curiosamente fue lo que acabó dándole nombre a esta plaza. La convocatoria para el concurso de la columna nacional puede verse justo debajo de la convocatoria para el concurso del himno.

El dictamen sobre los poemas que participaron en este concurso del himno fue dado a conocer al público en el referido Diario Oficial del 5 de febrero de 1854; y de las 24 obras que concursaron, fue seleccionada como *la de mayor mérito* la que tenía un epígrafe que decía: "Volvamos al combate, / a la venganza, / y el que niegue en su pecho la esperanza, / hunda en el polvo la cobarde frente", que correspondió al autor Francisco González Bocanegra. Este poeta fue el vencedor del concurso de la letra del himno nacional, y todos los versos restantes fueron quemados junto con los datos de identidad de los demás autores, por lo que no se sabe quiénes más participaron, aunque yo tengo la teoría de que los otros 23 poemas eran del estadounidense Andrew Davis Bradburn.

Dicen que todas las comparaciones son odiosas, pero precisamente para eso se hacen todos los concursos, para hacer comparaciones odiosas; en el caso del certamen para la letra del himno, la declaración del jurado fue que había seleccionado el poema de Bocanegra "por ser el de mayor mérito de entre diversas y excelentes obras", así que la competencia estuvo reñida.

Bocanegra ganó el premio, pero, como vimos, en la convocatoria jamás se especificó en qué consistía este "premio"; y este detalle, entre otras muchas cosas, sembró lo que después sería la pesadilla para legalizar el canto a la patria.

Ese mismo mes de febrero de 1854 se convocó a otro concurso para la música con reglas análogas a las de la letra; en esta convocatoria del Ministerio de Fomento, Colonización, Industria y Comercio también se publicó que se daría un premio, pero tampoco se especificó en qué consistía.

71

Mientras el concurso para la música del himno se implementaba, hubo *madruguete;* un músico italiano apellidado Bottesini, que dirigía la orquesta de una compañía de opera de gira por nuestro país, compuso una melodía para el poema ganador del certamen del himno nacional; la obra se realizó totalmente fuera del concurso y fue con esta música que se cantó por primera vez el verso patrio escrito por González Bocanegra. Bottesini le apostó a que su versión pegara y a que el gusto popular la terminara imponiendo a través del referéndum del aplausómetro. Esto no sucedió, pues como señalaron los cronistas de la época sobre la versión de Bottesini: "no causó efecto de importancia alguna".[6]

En el concurso de la música del himno nacional se presentaron 15 partituras y el 10 de agosto de 1854 resultó seleccionada como la mejor de todas la que tenía el epígrafe: "Dios y Libertad", que correspondía al autor Jaime Nunó

Roca, músico catalán que estaba en México como encargado de las bandas de guerra del ejército mexicano. En este
caso, el jurado declaró vencedora por UNANIMIDAD a la
composición de Nunó.

El 12 de agosto, Miguel Lerdo de Tejada le envía una carta a Nunó para pedirle que instrumente los arreglos de la
partitura que hizo para que pueda ser interpretada esta música tanto por bandas militares como por las orquestas de
los teatros, ya que la que mandó al concurso era una obra
musical sencilla para ser cantada con guitarra; y lo urge para
que haga a la brevedad esta chamba, pues *Su Alteza Serenísima* quería que el himno pudiera estrenarse en las fiestas nacionales de ese año. Efectivamente, había prisa, pues ya sólo
quedaba poco más de un mes para ensayar con los músicos
y lograr la ejecución perfecta que requería esta obra. En este
documento, el Ministro de Fomento, Colonización, Industria
y Comercio se despide, diciéndole al músico lo siguiente:
"Oportunamente diré a usted cuál es el premio que ha de
dársele al referido himno, a fin de que se presente en esta
Secretaría a recibirlo, contando ahora con el honor mereci-
do y con la gratitud del Supremo Gobierno".

El premio del concurso para el himno nacional continuaba siendo un misterio, y eso que ya habían pasado nueve
meses desde el lanzamiento de la primera convocatoria para
hacer la letra. En nuestros días ese tipo de enigmas gubernamentales ya sólo los sigue haciendo el SAT con la cantidad
de dinero que supuestamente algún día te va a devolver por
los IVAS que has pagado de más en tu declaración anual con
saldo a favor.

El himno mexicano de Bocanegra, con la música de Nunó,
fue cantado por primera vez a las siete de la tarde del 15 de
septiembre de 1854 en el teatro Santa Anna (por supuesto),
donde el mismo Don Francisco González Bocanegra hizo
de maestro de ceremonias y pronunció una conmovedora

arenga cívica con vitrores a México y a S.A.S. el presidente Don Antonio López de Santa Anna. En la primera edición de la letra del himno que se presentó ese mismo día, el mismo autor le dedica esta obra al presidente Santa Anna en un texto donde le da un tratamiento de verdadero Dios viviente, como ocurre actualmente en todos los actos oficiales de los presidentes, sobre todo si éstos son *presidentes legítimos*. He aquí la portada de la primera impresión del himno nacional.

AL

HIJO INMORTAL DE ZEMPOALA;

AL

CONSTANTE DEFENSOR

DE LA INDEPENDENCIA

Y DE LOS DERECHOS DE SU PATRIA;

A

SU ALTEZA SERENÍSIMA EL GENERAL PRESIDENTE,

Don Antonio Lopez de Santa-Anna.

EL AUTOR

73

Tengo el resto de la dedicatoria, pero por la pura portada ya el lector puede inferir el resto; para dar una idea aproximada, sólo diré que en nuestro tiempo los elogios que le hizo Bocanegra a Santa Anna sólo se los han hecho al Viagra.

El himno nacional fue entonado oficialmente por primera vez por unos cantantes de opera italianos, la señora Fiorenti y el señor Salvi, que no entendieron nada de la letra pero lo entonaron muy bien. Estos artistas pertenecían a la misma compañía en la que estaba Bottesini —el de la versión pirata del himno—; de hecho, fue él quien dirigió a los músicos con los arreglos que hizo Nunó a su partitura para ser tocada con orquesta. El efecto que causó este himno entre los asistentes de esa noche fue tan bueno que se pidió repetirlo al día siguiente; en esa función ahora lo interpretaron la señora Stefluone y repitió el tenor Lorenzo Salvi. Ese día, un delirio de júbilo se apoderó del público, los autores fueron ovacionados y se les dio todo tipo de muestras de gratitud y reconocimiento. ¡Por fin se había logrado un himno que les encantaba a todos los mexicanos! De hecho, el himno se volvió tan popular que un articulista de esa época, del periódico *El Ómnibus*, se queja de que: "…los mexicanos cantan el himno en cualquier momento, en cualquier lugar y por cualquier cosa, y este desbordamiento constituye un abuso irreverente".[7] Y es que la verdad el himno mexicano es realmente hermoso, y esto que digo no es chovinismo arrogante de nacionalista pueblerino; objetivamente nuestro himno es uno de los mejores del mundo, tan es así que es el único que puede competir con la maravillosa Marsellesa de los franceses.

Hasta ese momento, todo lo acontecido fue miel sobre hojuelas para los autores del himno nacional, pero mientras Bocanegra y Nunó se *ceñían sus sienes de oliva,* estallaba un nuevo levantamiento, el del Plan de Ayutla, que sacó del poder a Santa Anna y llevó a los liberales radicales al poder;

por cierto, uno de estos nuevos políticos que trajo a la escena nacional el Plan de Ayutla fue nada menos que Don Benito Juárez.

La cosa estuvo más o menos así. Los liberales habían sido sacados a patadas del Palacio Nacional en 1852 por los conservadores y desde entonces nomás estaban esperando la oportunidad de devolverles la cortesía, y encontraron su *causus beli* en la venta de La Mesilla por parte de Santa Anna. La Mesilla era un territorio de 23,000 kilómetros cuadrados, ubicado en la parte alta de Chihuahua, por el que los gringos necesitaban hacer pasar su ferrocarril transcontinental y por este pedazo pagaron al gobierno de Santa Anna $10 millones de dólares. A los mexicanos de ese tiempo (y también a los de ahora) les pareció una abominación que el presidente vendiera aunque fuera sólo un milímetro de territorio nacional y opinaron que esto constituía un atroz abuso de autoridad, ya que Santa Anna no tenía facultades para hacerlo, cosa que era cierta, aunque hay que decir también que tampoco podía sacar al ejército gringo que ya había ocupado La Mesilla y que amenazaba con iniciar una nueva guerra nomás si algún mexicano se atreviera a insinuarles que por favor se regresaran a su casa. Y es que si el ejército gringo te cae de paracaidista en tu terreno, la verdad la única forma que tienes de ganarles es vendiéndoles el terreno. La afrenta de La Mesilla fue la bandera política para tirar a Santa Anna, pero una vez en el poder los organizadores del Plan de Ayutla extrañamente no hicieron nada por recuperar este territorio, ni tampoco devolvieron el dinero que se pagó por La Mesilla en un acto de mínima dignidad nacionalista, a lo mejor porque Santa Anna ya se lo había gastado. En este punto, cabe recordar que S.A.S. era un antipático y patético tiranillo de indias, vanidoso, mamón, demagogo y oportunista, que todos los días desconcertaba a sus gobernados porque nadie podía precisar qué era más: si incompetente o corrupto

75

(más o menos como es actualmente un político promedio). La verdad es que todo el mundo nomás estaba esperando la oportunidad para empujar a Don Antonio por el balcón de Palacio Nacional, hasta su esposa; pero en estricto apego a los hechos, la venta de La Mesilla fue la única parte del territorio nacional que realmente vendió Santa Anna y por este hecho pasó a la historia como el *vendepatrias* (también ayudó mucho a que se popularizara este apodo el que sus enemigos fueron los que escribieron los libros de texto). Sin dejar de subrayar que esta venta me parece personalmente una putada, quisiera también destacar que la oferta inicial de los Estados Unidos a Santa Anna en 1853 para la compra de territorio nacional era hasta el paralelo 25, y este "terreno" incluía toda la península de baja California, la totalidad de los estados de Sonora, Chihuahua, Coahuila, Nuevo León y parte de los estados de Tamaulipas, Sinaloa y Durango, y la cantidad que ofrecían era de $50 millones de dólares; Santa Anna rechazó tajantemente esta propuesta y sólo les vendió La Mesilla, que la verdad ya era de los estadounidenses, pues estaba invadida, así que si pensamos que por menos del 1% del territorio que los gringos querían Santa Anna les sacó el 20% de lo que ofrecían por todo el lote, la verdad es que S.A.S. sí era un gran *vendepatrias*.

Con esto se demuestra que si bien Santa Anna jamás fue un buen presidente, sí era un excelente negociante de bienes raíces, a diferencia de Benito Juárez, a quien consideramos invariablemente un gran presidente, pero que sin embargo fue un pésimo vendedor de territorio nacional; ya que 6 años después, en el tratado MacLane-Ocampo de diciembre 1859, Juárez le entregó TODO el territorio nacional a los Estados Unidos por sólo $4 millones de dólares. Este tratado por fortuna no fue ratificado por el senado gringo, debido a que esta anexión de México le hubiera dado un gran poder a los estados del sur, debido a la organización de nuestro país vecino, por lo que los políticos norteños vetaron el acuerdo en enero 1860; ese mismo año empezó la guerra civil de los Estados Unidos entre el norte y el sur. La suerte adoraba a Don Benito, pues hiciera lo que hiciera siempre cayó parado como un héroe.

Cómo todos sabemos, el Plan de Ayutla triunfó y S.A.S. tuvo que abandonar el país el 9 de agosto de 1855. Así es México, un día te ovacionan en una función de gala dónde se presenta el himno nacional y al día siguiente tienes que escapar del país porque van a fusilarte. Santa Anna salió, como siempre, haciendo planes para volver en cuanto las cosas se pusieran más jodidas que como cuando él estaba gobernando, y así regresar como el Chapulín Colorado en cuanto los mexicanos gritáramos: "Y ahora…, ¿quién podrá defendernos?". Ésa había sido su estrategia y siempre le había funcionado, no sabía que aquella iba a ser la última vez que sería presidente de México. El grupo que llegó con la revolución de Ayutla no dejaría nunca más de representar al gobierno de México durante el resto del siglo XIX, aunque este régimen en ocasiones sólo fuera un carruaje que iba huyendo a salto de mata por todo el país.

Desde que se estrenó el himno nacional hasta el día que Santa Anna tuvo que salir por patas (bueno, en su caso sólo por pata, pues tenía una de palo), pasaron 11 meses y en todo ese tiempo los autores ganadores de los dos concursos para el himno no habían recibido ningún premio, es más, ni siquiera se les había dicho en qué consistía ese dichoso galardón. La única "gratificación" que se conoce de esta época, si es que podemos llamarle así, fue que, por sugerencia de Santa Anna, Jaime Nunó imprimió de su propio dinero unas partituras con el himno para que éstas les fueran vendidas a las bandas de guerra del ejército a 3 pesos cada una y así pudiera sacar una lana el compositor por su obra. Años después, Don Jaime dijo que en esta empresa se gastó más de 600 pesos y, por cierto, estas copias que adquirió el gobierno de S.A.S se las quedó a deber.

Con su música a otra parte.

Don Antonio López de Santa Anna fue un político que toda su vida combatió ferozmente contra muchísimos enemigos; sin embargo, cuando de verdad quería acabar con alguien se hacía su amigo; así podía abusar de él mientras estaba en el poder, y cuando ya no estaba, sobre este pobre güey se cebaban todos los enemigos. Esto fue lo que le pasó a Jaime Nunó Roca, quién conoció a Santa Anna en La Habana cuando este pasó por allí en 1853 a su regreso del exilio para volver a ser presidente de México por onceava vez; ahí, al ver que Nunó era un excelente músico, le ofreció un contrato como director de bandas militares en su gobierno y lo trajo con él. Este hecho siempre hizo que este músico fuera considerado como un protegido del dictador, aun entre los que eran parte de su régimen, como el maestro Inocencio Pellegrini, quien se inconformó por la decisión del presidente Santa Anna de que un extranjero como Nunó fuera el director de las bandas del ejército y retó al recién llegado a sostener un "duelo musical" (cualquier cosa que eso signifique), a fin de contrastar sus aptitudes con las de él. Nunó declinó el desafío y se limitó a aplicar para la plaza vacante de director del Conservatorio Nacional y resultó ganador, pero no ejerció el cargo, con eso demostraba que lo que le dio la chamba fueron sus meritos, no sus relaciones; aun así, jamás se quitó el estigma de ser *consentido del jefe,* mucho menos después de que ganara el concurso para la música del himno nacional.

Esta es la portadilla de las partituras que mandó imprimir Jaime Nunó en 1854 para venderlas a las bandas de guerra del ejército; fue la primera versión impresa del himno nacional con letra y música y a este documento se le considera oficialmente la versión original. Por cierto, jamás se las pagaron.

Guerras guerrosas

Tras instaurarse el nuevo régimen de la revolución de Ayutla, los liberales emprendieron una cacería de brujas contra todo lo que oliera a Santa Anna y Don Francisco González Bocanegra, con esa dedicatoria del himno, estaba señalado públicamente como el más entusiasta santanista de México. Los santanistas se habían convertido en los nuevos apestados y el pobre poeta era el que peor olía de todos ellos. La moraleja de esta historia es: Artistas, jamás se declaren partidarios de ningún político porque luego estos señores se van a su exilio dorado y ustedes son los que se quedan para pagar los platos rotos de esos ojetes, y lo peor de todo…: ¡sin haberse beneficiado jamás por el régimen! Mientras los políticos del antiguo gobierno siempre encuentran quien los acomode en el nuevo gobierno, los artistas del antiguo régimen siempre encuentran quien los incomode en el nuevo régimen. Un ejemplo de este principio ocurrió con la Ley Lerdo, la acción más extrema que tomaron los liberales radicales una vez que derrocaron a Santa Anna y que consistió nada menos que en la desamortización de los bienes del clero, es decir, en expropiarle a la Iglesia sus propiedades. Esta ley, que generó una nueva guerra civil, la hizo nada menos que Don Miguel Lerdo de Tejada, ¡sí, el mismo Ministro de Fomento, Colonización, Industria y Comercio del gobierno conservador de Santa Anna que organizó el concurso para el himno nacional! Y quien curiosamente no fue condenado como traidor y santanista por los liberales puros cuando tomaron el poder, a lo mejor porque no sabían que había sido ministro del gobierno de S. A. S.; sin embargo, a Don Francisco González Bocanegra lo ubicaron perfectamente como el autor de himno de los mochos de la pasada administración y eso jamás se lo perdonaron. Es curioso, pero los políticos rara vez acosan a otros políticos por razones políticas. Efectivamente, se pueden llegar a matar entre ellos, pero sólo cuando disputan quién va a ser el líder de la manada, una vez que esto se arregla integran a todos los demás. Ya se sabe: *perro no come carne de perro...* tan seguido.

Al igual que el poeta, el músico Jaime Nunó Roca fue perseguido y el maravilloso himno que habían hecho entre los dos quedó proscrito por el nuevo gobierno.

Después de esconderse durante unos meses en su casa, esperando a que las cosas se calmaran, Nunó se dio cuenta de que las cosas en México se agitaban en realidad cada vez más; terminó huyendo del país a mediados de 1855 y acabó en Estados Unidos. Por su parte, González Bocanegra se apartó de la vida pública, dejó por unos años de escribir poesía y, sobre todo, ocultó lo mejor que pudo que él había escrito el himno de 1854 para poder continuar tranquilamente su vida; luego contrajo tifoidea y murió el 11 de abril de 1861, a la edad de 37 años, en la Ciudad de México. Los periódicos de la capital, en breves líneas, hablaron de la muerte del "joven poeta que tanto prometía". Ninguno mencionaba el himno nacional, ya que estaba prohibido.

La Lupe que se llamaba Elisa.

Cuando era niño me tocó participar como extra en un *sketch* didáctico, de esos a los que luego son tan afectos en algunas primarias, donde se narraba la leyenda romántica sobre cómo se escribió la letra del himno nacional; esta pieza teatral se desarrollaba en el número 6 de la calle de Santa Clara, hoy Tacuba, la casa de Guadalupe González, novia del poeta Bocanegra, que el llamaba Elisa (jamás he entendido cómo los poetas pueden llamar a sus viejas con nombres de otra mujer y ellas hasta se lo toman como un homenaje; sin embargo, cuando uno lo llega a hacer te quieren castrar). En la representación se veía cómo Don Francisco González Bocanegra, en extremo modesto, se negaba a participar en el concurso del himno nacional, mientras sus amigos lo animaban a que le entrara; en algún momento, su novia se hartaba de que el poeta se hiciera tanto del rogar y lo encerraba en un cuarto, diciéndole que no lo dejaría salir hasta que no escribiera el himno, esta situación en la obra era planteada como una amorosa broma (este *sketch* ahora no podría representarse, ya podrían acusar al personaje de Guadalupe González de secuestro). Finalmente, el poeta, vencido por el tierno acoso de su amada, escribió el himno y lo pasó a su dama por debajo de la puerta. Esta es la leyenda sobre la cual se hizo esta pieza escolar, pero estoy seguro de que los hechos debieron y de haber ocurrido así, pues siempre son las mujeres las que hacen que nos pongamos a trabajar. Lo que no se contaba en la obrita de teatro era que la novia de González Bocanegra era su prima, y que terminó casándose con ella. No sabemos si porque él la quería tanto que le perdonó que lo haya obligado a escribir el himno, por el cual el gobierno liberal le arruinó la vida, o porque cuando llegó el nuevo gobierno liberal ella era la única mujer que todavía le seguía hablando. Aún me acuerdo perfectamente de esta obra porque yo tenía un papel como parte de los amigos de Francisco González Bocanegra. Lo único que tenía que decir era: Sí..., ¡y se me olvidó! , y cuando la niña que hacía de Guadalupe González con cara de angustia me susurró: "Di sí… di sí, di síííííí", y yo dije: "¿Di qué?...". Lo peor fue cuando voltee al auditorio y pude ver que mis padres estaban parados y aplaudiendo a rabiar por la estupidez que había dicho, mientras tomaban fotos y gritaban: ¡Bravo, bravo! ¡*Ancore, ancore!*. Seguramente es por este trauma infantil, que aún no he superado, que ahora estoy escribiendo este capítulo de la historia del himno nacional.

(mariachis llevando gallo)

El himno "himnótico".

A pesar de los pocos meses que estuvo vigente como himno la obra de Bocanegra y Nunó, éstos habían bastado para que se quedara en el corazón de los mexicanos, y no es una metáfora cursi, ya que fue precisamente ese irreverente abuso del que se quejaba el articulista de *El Ómnibus*, que hacía que los mexicanos cantaran ese himno en todo momento, lo que logró que no se olvidara. Sin duda, el himno del último gobierno de Santa Anna fue el único éxito de todas sus once administraciones; es un himno tan bueno que, efectivamente, los mexicanos lo cantan espontáneamente hasta cuando se bañan y con el mismo embeleso con que interpretamos todas esas canciones que nos hacen vibrar.

Los liberales, por su parte, intentaron hacer su propio himno, pero no les salió uno mejor. La verdad estaba difícil. La rehabilitación política del himno de 1854 llegó 10 años después gracias a la invasión francesa, pues aquello de *"mexicanos al grito de guerra"* y *"mas si osaré un extraño enemigo"*, y esa sensacional estrofa de: *"Guerra, guerra sin tregua al que intente profanar con su planta tu suelo"*... quedaba perfecto para

83

la ocasión; además, los mexicanos necesitábamos un canto patriótico que pudiera darse un quién vive con la Marsellesa, y la verdad no hay otro himno en el mundo que pueda hacer esto, pero aún persistía el terrible problema de las estrofas "malditas" que mencionaban a Iturbide y a Santa Anna, por las que para los liberales ese era el himno de los pinches mochos. Felizmente, la tijera sanitaria de Juárez extirpó las estrofas cancerígenas del poema y asunto arreglado, gracias a esta conveniente censura todas las objeciones ideológicas de los liberales para el himno se terminaron. Desde entonces éste ha sido nuestro himno nacional, y todos vivieron felices para siempre… bueno, menos los autores.

El Estado mexicano volvió a tener himno en 1864, pero no tenía los derechos, pues como jamás se les dio ningún premio a los autores, la titularidad de esta obra permanecía en una angustiosa ambigüedad, aunque claro, para la época, ésta era una consideración absolutamente fresa, ya que como en cualquier momento México podía desaparecer como nación por la conquista de una potencia extrajera, pues ya sin país…, ¿para qué necesitábamos un himno?

No, no, no, Nunó.

El otro autor del himno nacional, Jaime Nunó, había desaparecido misteriosamente del país en 1855 y desde entonces el polvo caído sobre su recuerdo había hecho montañas, pero el tiempo todo lo arregla, y si no, hace que por lo menos nos acostumbremos a tener broncas. Con los años, Maximiliano perdió y Juárez ganó; luego, Sebastían Lerdo de Tejada, sí, el hermano de Miguel Lerdo de Tejada,[8] recontra perdió y Porfirio Díaz recontra ganó. Y con el triunfo de Don Porfirio, el país alcanzó una sólida Pax draconiana, que era como la paz de los sepulcros, pero era una paz al fin, y con ella México empezó a parecer un "país civilizado", es decir, lo que entienden los bancos por un "país civilizado", o sea, uno que si le prestas te va a pagar, y esto no fue poca cosa, el reconocimiento al menos con la calificación de "aceptable" por parte del buró de crédito es decisivo para poder ser considerado como un Estado soberano en el concierto de las naciones, y en nuestra sociedad para poder ser considerado como un ser humano.

Guerras pacíficas.

Durante el régimen porfirista el himno de 1854 se siguió cantando, desde luego con las debidas censuras hechas en la época de Juárez, y podríamos decir que se convirtió en unas segundas *mañanitas* para el dictador, pues cuando Don Porfirio inventó la celebración de "El Grito", para poder unir la fiesta de su cumpleaños, que era el 15 de septiembre, con la de la Independencia del 16 de septiembre, se le cantaba el himno para celebrar su onomástico; de hecho, esto es lo que seguimos haciendo. Y fue en la época de Don Porfirio cuando se hizo el asombroso descubrimiento de que Jaime Nunó Roca aún estaba vivo. El último de los autores del himno nacional fue encontrado en el comedor de una modesta pensión en Estados Unidos, gracias a la oportuna indiscreción de una camarera a un miembro de la delegación mexicana que se encontraba en la exposición panamericana de Búfalo, Nueva York, en 1901. La cosa fue así.

La camarera dijo: "Ese anciano que usted ha saludado en el corredor es músico, un maestro de canto muy conocido. Dice que ha compuesto una pieza muy popular entre los mexicanos. Se llama Jaime Nunó".[9]

El funcionario, al saber esto, se estremeció y fue a presentarse con el viejito de la mesa de al lado, diciéndole que lo conoce como el autor del himno. Durante ese almuerzo, el funcionario se entera más o menos de lo siguiente: Que Jaime Nunó tiene 77 años, que está bien jodido y que sobrevive a duras penas dando clases de solfeo a destajo; que

85

abandonó el país por temor a una terrible represión política (es decir, que no era infundado su temor de que los liberales iban a hacer bolsitas para guardar tabaco con la piel de su escroto), pero que aun con todo lo que le había pasado, el músico se siente feliz y orgulloso de que los mexicanos expresen con su melodía sus más ardientes sentimientos patrióticos. ¡Olé!

(Cuando llevan al piano de cola al proctólogo)

La información del hallazgo de Nunó, de quien nadie sabía nada desde 1855, es telegrafiada de inmediato al presidente Díaz y esta información también es recogida por la prensa nacional. El descubrimiento es dado a conocer públicamente el 15 de julio de 1901 en la Escuela Nacional Preparatoria, durante el acto de constitución de la Sociedad Positivista Gabino Barreda. El maestro Lázaro Villarreal, presidente de la mesa directiva, anuncia que el primer acto de la sociedad consistirá en "promover una suscripción nacional en favor de Nunó, ese genio ahora anciano y achacoso, y a quien México debe la recompensa de haber creado su grito de combate". ¡Por primera vez, Don Jaime iba a poder recibir una lana por su obra!

Al día siguiente, *El Universal,* dirigido entonces por el periodista Luis del Toro, convierte el descubrimiento del músico catalán en la nota de ocho columnas y publica: "Nunó, el autor de nuestro himno amado que nos arranca lágrimas en el extranjero y en las ocasiones solemnes de la vida patria, que alienta el valor de nuestros soldados en el combate, que pone una nota de intensa alegría y esperanza en nuestros festivales de paz y progreso está anciano, pobre, y aunque vive con decoro y nada reclama, merece un premio digno de la magnificencia y de la cultura de nuestra patria".[10] A partir de allí este periódico convertiría en su cruzada lograr el regreso triunfal de Jaime Nunó a nuestro país. De esta manera se fue formando un efecto de *bola de nieve,* en donde todos los medios del país empezaron a competir para ver quién le hacía más servicios, homenajes o de plano juntaba más dinero para Jaime Nunó. Digamos que se organizó un verdadero *teletón* patriótico: El *Nunotón.*

El compositor desde luego fue invitado a regresar al país con todos los gastos pagados, y más aún, incluso se lo suplicaron. El gran promotor de Nunó sería Luis del Toro en el periódico *El Universal.* A principios de 1901, este diario exigía que Nunó regresara a México de una manera inversamente proporcional a como ahora exige el semanario artístico *¡Órale!* que regrese Kalimba a la PGR de Chetumal.

Y volver, volver, volver.

A las 6:40 de la mañana del 12 de septiembre de 1901 llegó el tren de Laredo a la estación de Colonia; en él venía el último autor sobreviviente del himno nacional, la estación estaba repleta de gente que fue a darle la bienvenida al músico catalán. Así describió la llegada de Nunó un reportero de *El Universal:* "El andén se encuentra henchido de concurrencia. En todos los rostros se pintaba el júbilo, todos los corazones rebozaban de entusiasmo. A todos se les antojaba que los relojes caminaban con desesperante lentitud y mutuamente consultaban sus horarios con la esperanza de que alguno llevara varios minutos de retraso. De todas partes de la ciudad afluían patriotas, y el andén era insuficiente para contener el enorme concurso. Gentes de todas las clases sociales estaban allí; ancianos, jóvenes, niños y muchas señoras y señoritas que también iban a contribuir a la solemne apoteosis de Jaime Nunó". Sólo le faltó agregar que cuando el compositor se bajó del vagón la gente le empezó a gritar: "Quiere llorar, quiere llorar, quiere llorar...".

En una nota aparte de ese mismo periódico se subraya que el músico ha sido convocado como invitado de honor a la celebración de las fiestas patrias, en donde dirigiría una orquesta que tocaría su obra más famosa: el himno nacional mexicano.

A pesar de que se conocía que en 1864 el autor de la música del himno regresó a México para presentar una temporada de conciertos durante el breve imperio de Maximiliano, en 1901 todo el mundo fingió amnesia. La versión oficial fue que Jaime Nunó volvía al país "después de cuarenta y siete años de ausencia"; y en un afán colectivo de resarcir todos esos años de injusto olvido, se hablaba de hacer una colecta nacional para intentar compensar a Don Jaime por su incalculablemente valioso servicio a la patria, también de darle la nacionalidad mexicana en una ceremonia de gala en el teatro nacional, de traer a su esposa y sus hijos, que eran estadounidenses, a vivir a México y desde luego hacerlos también mexicanos, pues lo merecían, incluso se hablaba de darle al señor Nunó una generosa pensión vitalicia y otorgarle un nombramiento como senador de la República, aunque fuera honorario, todo era poco para retribuir al autor que aún nos quedaba vivo del himno nacional. Nunó, por su parte, no se la acababa, y ya no hallaba cómo dar las gracias. A sus años, el pueblo de México lo aclamaba otra vez, igualito que cuando en el teatro Santa Anna se estrenó por primera vez el himno mexicano. Vivir para ver.

Después de varios homenajes y aclamaciones hechos por dondequiera que pasara el compositor, el 17 de septiembre, ante la presencia del presidente Porfirio Díaz, el maestro catalán dirige a seiscientos niños que, en el patio del Palacio Nacional, entonan el himno, y por está ejecución el gobierno le paga $ 2,000 pesos en plata. Por otra parte, el periódico católico *El País* organiza una colecta nacional a favor del viejo que tuvo una sensacional acogida. Para Don Jaime todo era como dice en la letra del himno nacional: *Un laurel para ti de victoria;* y tan fue así que durante un homenaje que se le hace en el teatro Abreu de la ciudad de Puebla le regalaron precisamente una corona de laureles hecha de oro, que el músico se colocó en la cabeza ante la ovación de los asistentes. Esta corona se costeó con el dinero de la colecta realizada por *El País*. Y todos hubieran vivido felices comiendo perdices, si no fuera porque cuando todo iba perfecto a Nunó se le ocurrió abrir la boca.

89

Ahí está el detalle, Chato.

A mediados de septiembre de 1901, el principal impulsor de *la causa Nunó*, Luis del Toro, director de *El Universal*, le hizo una entrevista y, no conforme con eso, luego le hizo algo peor: se la publicó. Aquí se transcriben unos párrafos de lo que en mala hora dijo Jaime Nunó y que provocó que otra vez tuviera que salir huyendo del país.

> —*Yo nací en Cataluña. Soy, por consiguiente, acérrimo partidario de las ideas liberales. Jamás he pertenecido al bando conservador, pues si es verdad que yo en la época del señor D. Antonio López de Santa Anna escribí el himno nacional, no fue como su partidario, sino por conquistarme el premio de 500 pesos que se ofreció en el certamen abierto.*

> "*Nunca estuve ligado por principios al general Santa Anna. Hice el himno, obtuve el premio y éste no me fue pagado. Al subir al poder el señor general Díaz, me encontraba yo en una situación precaria y angustiosa. Entonces escribí una carta al señor general pidiéndole un empleo de profesor de música. El señor Díaz no me contestó, creyendo tal vez que era mocho porque había compuesto mi himno en la época del general Santa Anna. Impórtame pues, hacer estas aclaraciones, para que ni por un momento se crea que yo estuve afiliado en alguna ocasión al odioso partido retrógrado, a ese partido siniestro que tantos días de luto y dolor dio a este país para mí tan querido*".

Y cuando se le preguntó al Sr. Nunó qué opinaba de la colecta que para él hacía un periódico clerical llamado *El País*, dijo lo siguiente:

> —*Yo no necesito de la subscripción. En Búfalo gano seis mil pesos oro al año como profesor de canto y de solfeo. Para mis necesidades tengo de sobra con 500 pesos oro mensuales y por lo mismo la subscripción a que se refiere*

la acepto como una demostración de cariño hacia mi per-
sona, pero no como una limosna que me humillaría y que
no aceptaría nunca.

Estas declaraciones desataron una agria polémica que después se convertiría en una verdadera guerra, pues revivie-
ron los viejos rencores de la pugna entre conservadores y
liberales.

Luego de que salió la entrevista, todo México se preguntaba: ¿Nunó escribió el himno por amor a la patria mexicana
o sólo para ganar los 500 pesos del premio?; y de ser cierto
esto último, ¿de dónde sacó que el premio era de 500 pesos, si la convocatoria jamás lo precisó, y no hay ningún documento que especificara en qué consistía el premio? Por
otra parte, si el músico vivía tan bien en Estados Unidos, y no
requería la colecta organizada por el periódico *El País,* luego entonces ¿este periódico había abusado de la buena fe
de los mexicanos para juntar dinero para alguien que no lo
necesitaba, y más aún, para alguien a quien le ofendía que
se lo dieran? Por otro lado, ¿antes de que llegara Nunó no
le habían informado a todos los mexicanos que el autor del
himno vivía en la miseria y anhelando regresar a México?
Para acabarla de fregar, el compositor catalán descalificaba
a los diarios católicos que también lo habían invitado a venir
al país con toda suerte de adjetivos atroces. Al día siguiente,
Nunó se da cuenta del error que cometió y como dirían los
catalanes exclamó: "Collóns de Deu Jaumet, la has cagat"; [11]
y manda un desmentido de lo que apareció publicado en la
entrevista a la redacción *El Universal* y otro al diario *El Tiempo.*
El desmentido deja la credibilidad de *El Universal* por los sue-
los y el director de este diario, Luis del Toro, se siente traicionado por Nunó, mejor dicho, se siente encabronadamente
traicionado por Nunó, pues fue en gran parte por la campaña de su periódico que el músico había podido regresar

triunfante a México; así que *El Universal,* después de tratarlo como *"el venerable maestro",* convierte a Nunó en *"el vegete baboso que por su chocha edad ya no sabe de lo que habla".* Un día antes del viaje de Nunó a su homenaje en Puebla, *El Universal* publica lo siguiente: *"Es preciso que los reporteros poblanos se prevengan. D. Jaime tiene ochenta y tres años, los cuales no le han bastado para aprender a respetar la verdad o le sirven admirablemente para olvidar lo que dice".*[12] En realidad, Nunó tenía sólo 77, cómo lo sabía todo mundo, pero ya puestos en la línea editorial de chingárselo, los redactores de *El Universal* no escatimaron ningún recurso; y lo más incómodo en ese momento para el músico era que la corona de laureles de oro que le regalaron en Puebla fue costeada con el dinero de la colecta que *El País* había hecho para él. ¡Puta madre!

(El día que Mónica Lewinsky se metió a la sinfónica)

92

Nunó queda atrapado entre dos fuegos, el de los conservadores *porfiristas* representados por los diarios *El País* y *El Tiempo,* y el de los liberales *porfiristas* representados por *El Universal.* Resumiendo: el músico se había enemistado en un solo día con todos los *porfiristas* y ya ningún bando confiaba en él; y por otro lado, el gobierno encendió la señal de alarma. Porfirio Díaz impuso una brutal estabilidad basada en sutiles equilibrios y sintió que la presencia de Nunó abría las viejas heridas que provocaron tantos años de guerra civil. Esto se podía ver claramente en la polémica que los periódicos entablaron por el autor. Aquí van unos fragmentos de las lindezas que se publicaron en esos días.

El 24 de septiembre de 1901, el periódico *El Tiempo* publica que, tras confirmar con Don Jaime Nunó, "puede asegurar que *El Universal* ha puesto en su boca falsas aseveraciones". El 25 de septiembre, *El Universal* publica su respuesta en un artículo que comenzaba de este modo: "El periódico *El Tiempo,* ese sudario que envuelve el putrefacto cadáver del clericalismo...".

Y refiriéndose a Nunó: ... "ese *filarmónico* cuyo único mérito ha consistido en ganar, animado por el cebo de los quinientos pesos, un concurso de famélicas medianías....".

Por su parte, al día siguiente, el periódico *El Tiempo* contesta lo siguiente en un artículo hecho por el mismo director del diario, Victoriano Agüeros: "El artículo de *El Universal* es una obra de perfidia y malevolencia cuyo fin es enrarecer el ambiente e indisponer al presidente de la República para robarle al autor del himno los destellos de gloria que iluminan su ocaso."

Un día después, *El Universal* publica: "¡Don Jaime Nunó no es ninguno de nuestros hombres ilustres! —escribe—. La nación tiene una deuda con él de quinientos pesos. ¡Eso es todo! Su canto llevó a nuestros héroes a la victoria no porque tuviese sublimidades intrínsecas, sino porque simbolizaba una cólera divina, un grito sonoro, un épico entusiasmo que no brotaba del pecho pachorrudo de don Jaime, sino del de los soldados que iban a combatir, a verter su sangre, a inmolarse en el martirio

[...] Su polka no pesa en nuestros triunfos guerreros ni como causa primordial, ni como elemento secundario...

Nunó, aceptando los compadrazgos de un grupo político caído en definitivo desprestigio, convirtiéndose en héroe pasmarote de los conservadores, dejándose coronar por ellos, como un emperador reblandecido de la Roma cesárea, no ha observado la conducta cuidada e imparcial que debía esperarse de un caballero".

El Tiempo no se echa para atrás y responde de nuevo por la pluma de su director, el señor Victoriano Agüeros: "...una corona de oro (la que le dieron en Puebla a Nunó) es la noble contestación que aquel periódico puede dar a la innoble imputación, pues lo que según ésta era 'bochornosa limosna', se convirtió en preciado lauro. Esas y otras inconcebibles imprudencias que sólo tendrían cabida en un imbécil, en un idiota rematado, se hacen decir a Nunó... Conocido es de todos que él no gusta de charlas, pues por natural índole es discreto, poco expansivo por medio de la palabra y con los extraños se muestra cuidadosamente retraído. *El Universal* simplemente miente, como lo hace ordinariamente".

El Universal regresa el golpe al día siguiente de esta manera: "[...] No desmentiremos al belitre que con tan poca dignidad personal hace humorismo de plebeyo, pero sí protestamos enérgicamente contra el comentario cobarde, cínico, petulante, descarado, rufianesco, del periódico subvencionado por la clerigalla, en el que el detestable *literato* Victoriano Agüeros, con todo el desplante de un embaucador de imbéciles, asegura...". En efecto, Agüeros, que entre la marranería clerical ostenta la escarapela amarilla del catolicismo comercial, no es creyente, ni es ateo, ni es traidor, ni es patriota, no es cobarde ni es valiente... es simplemente un ministril que baila la danza del vientre, aplaudido por las viejas bobaliconas que osculan el anillo del paleolítico [arzobispo] Alarcón. El epiceno paladín del oscurantismo ha mentido como mienten los lacayos cuando oyen tintinear una moneda".

Como vemos, ya lo que seguían eran los madrazos. El *afaire* Nunó comenzó a polarizar a la sociedad mexicana y el dictador ya no aguantó más que le alborotaran el gallinero.

No voooooolveré.

Nunó fue ferozmente atacado por la prensa liberal que seguía a *El Universal* y en general fue abandonado por la prensa conservadora, que en el fondo de su corazón sabía que Nunó sí dijo lo que dijo en esa entrevista. Don Jaime pasó de ser "el gran compositor que nos dio nuestro glorioso y amado canto" a "un mercader sin escrúpulos que compuso una infame polca en un mediocre certamen de grises medianías". Desde luego, a Nunó le sacaron a cuento aquello de que era *el favorito de* Su Alteza Serenísima y que de seguro por eso ganó el concurso del himno nacional, y que cómo no había cobrado nada del premio de ese certamen, ahora su ruin codicia lo había hecho regresar a México para ver de qué podía despojarnos como el buen aprendiz que era de Santa Anna.

Para el 30 de septiembre de 1901 las autoridades del gobierno del presidente Díaz, esas mismas que cuando Nunó llegó estaban a punto de darle la nacionalidad mexicana y de construirle un monumento, le piden al músico catalán que se vaya del país por ser un extranjero indeseable. Habían pasado tan sólo 19 días desde que tuvo su entrada triunfal hasta que salió huyendo una vez más de México por la puerta de atrás.

De vuelta en Búfalo, Nunó le escribe a don Porfirio para solicitarle un empleo que le permita terminar sus días en la que considera su verdadera patria. Díaz ni le responde.

Años después, sintiendo que la vida se le acaba, vuelve a escribirle al dictador mexicano, ya sólo para pedirle nomás que lo entierren en México; Díaz tampoco le contesta.

En el año de 1908, Jaime Nunó Roca murió en Estados Unidos, a los 84 años de edad; tenía 32 cuando compuso la

95

música del himno y Francisco González Bocanegra 29 cuando escribió la letra.

Ávila, ¡qué macho!

96

Después de la efímera visita de Jaime Nunó, dónde se revivió por un momentito la historia del himno nacional, el asunto volvió a quedar en el olvido y el polvo de los años había formado montañas en esos expedientes, y hubiera seguido así la cosa si no es por otra guerra: la Segunda Guerra Mundial. Después de muchos raspones, afrentas y mentadas de madre entre las potencias del eje y nuestro país, pero sobre todo luego de muchas presiones de Estados Unidos para que le entráramos a los trancazos, finalmente México le declara la guerra a Japón, Alemania e Italia el 22 de mayo de 1942. Con esta declaración expedida por el congreso, el presidente Manuel Ávila Camacho se apresuró a tomar todas las medidas necesarias para ganar la guerra, y de todas éstas todavía 4 perduran hasta nuestros días:

1) El servicio militar obligatorio.

2) La hora nacional.

3) "La chamba" (este anglisismo con el que en México

se le llama al trabajo, proviene de una deformación de La *Chamber of Comerce,* la institución estadounidense que se encargó de reclutar masivamente mano de obra mexicana durante la Segunda Guerra Mundial; los mexicanos que querían conseguir trabajo debían presentarse en las oficinas de la *Chamber of Comerce* de sus ciudades y como decían "voy a *la chamber"*…, pues de ahí vino "la chamba").

4) La ley del himno nacional mexicano.

Debido a la guerra, el gobierno necesitaba exaltar el nacionalismo y para esto, igual que en 1864, se consideró la mejor receta cantar el himno nacional varias veces al día, por lo cual se promovió que esta obra estuviera en todas las estaciones de radio y en cada hogar y escuela de México. Para lograr este objetivo, el gobierno se propuso grabar una magnífica interpretación de nuestro canto patriótico, de la cual se harían millones de copias, una para cada habitante del país. ¡Ávila Camacho un disco para cada hijo te dio! Fue entonces cuando el Estado mexicano cayó por primera vez en la cuenta de que NO tenía los derechos del himno nacional, pues como jamás se les dio nada a los ganadores del concurso de 1854, los derechos del himno jamás habían pasado legalmente a la nación; y 88 años después los abogados del gobierno enteraban al presidente del terrible peligro al que estaba expuesto nuestro país, ya que en esas condiciones, si alguien registraba esta obra, podía reclamarla como suya. ¿Y que tal si lo hacía Hitler, o Mussolini, o Hiroito? ¡Carajo! Justo al día siguiente que les habíamos declarado la guerra las potencias del eje podían darnos el terrible golpe de quitarnos nuestro himno con el mínimo esfuerzo de llenar un registro en alguna oficina de derechos de autor en Berlín. Por otra parte, también existía la *tenebra* de que este registro

97

lo terminaran haciendo —como siempre— los gringos, con el fin de poder presionar todavía más al gobierno mexicano. Ávila Camacho sudó frío; ser recordado como el presidente que perdió el himno nacional lo ponía casi peor que Santa Anna, a quien recordamos como el presidente que perdió la mitad del territorio nacional. Puede parecer exagerado este escenario, toda vez que el gobierno mexicano podía haber seguido utilizando el himno en México, así, de manera abusiva y silvestre como lo había hecho hasta entonces, pero en términos legales no era ninguna exageración, era exactamente lo que podía pasar.

A partir de ese momento conseguir los derechos del himno se volvió una cuestión de seguridad nacional, y la situación legal de los derechos del himno en un secreto de Estado y, por supuesto, el trámite para arreglar todo esto en una misión militar.

El congreso había autorizado al presidente Ávila Camacho para una guerra total, y el principal y primer frente que teníamos pasaba por las oficinas de derechos de autor.

En la guerra y en el amor, todo se vale.

A los problemas originados por la orden del presidente de hacer un disco del himno nacional le fueron apareciendo otros inconvenientes que tampoco eran poca cosa, y éstos se derivaron de la ejecución práctica del mandato presidencial, porque ya puestos a grabar una ejecución perfecta del himno nacional, ¿cómo era la perfecta?, no existía ningún parámetro o referencia sobre esto, el himno que habíamos cantado los mexicanos toda la vida no tenía patrón alguno. ¿Cuál era oficialmente la versión apropiada? ¿Existió alguna vez? Para colmo, en aquel entonces no existía ya ningún original de la partitura con la que se estrenó el himno nacional en el teatro Santa Anna en 1854, la última copia que se encontraba en la biblioteca nacional fue robada en 1914 y ya no quedaba ninguna otra. (No quiero pensar mal, pero ese fue el año de la intervención estadounidense en Veracruz). Por tal motivo, en 1922 se creó una comisión en donde estaba el músico inventor del sonido 13, Julián Carrillo, y solicitaron con avisos públicos que todas las personas que por alguna razón tuvieran una copia del himno editada en 1854 por favor se la presentaran; y encontraron un ejemplar editado por la casa Murguía justo en 1855, ¡era una de las famosas copias que había impreso Nunó para vendérselas a las bandas de guerra del gobierno! Y gracias a que milagrosamente sobrevivió una de estas partituras fue que se pudo tener una versión oficial para el himno. En el informe de 1922 que Julián Carrillo hizo al gobierno apuntó: "…aunque la partitura no marca *compás mayor ni aire marcial,* lleva en cambio la indicación metronómica *76* que equivale de un modo absoluto a *compás mayor y aire marcial,*[13] y con esos datos de interpretación musical fue como la comisión de 1942 dejó asentada la manera correcta de tocar el himno nacional, pues ésta es *la versión original".*

99

Por cierto, en el reporte del 11 de agosto de 1922, Julián Carrillo también proponía al Secretario de Educación Pública, entre otros puntos, lo siguiente: "Es urgente que el C. Presidente de la República y las cámaras se sirvan declarar propiedad nacional el himno nacional mexicano…".[14] No lo pelaron, hasta que veinte años después, ya con la guerra encima, el Estado se dio cuenta de que no tenía la propiedad del himno. Bueno, más vale tarde que nunca.

100 El Eje Berlín-Roma-Tokio-Colonia Centro.

Como si no tuvieramos ya suficientes problemas, la investigación iniciada por la comisión creada por Ávila Camacho para conseguir los derechos del himno se topó con el peor de todos los escenarios posibles. Ya había en México un registro del himno nacional que databa al parecer de 1909 y pertenecía a *La Casa Wagner*, una editora de origen alemán, así que potencialmente nuestro himno podía estar en manos del enemigo. *La Casa* Wagner, que en realidad de alemana sólo tiene el nombre, lleva más de 150 años en nuestro país y fue fundada en 1851 por dos alemanes de Hamburgo que reparaban pianos, los señores Wagner y Levien. Para 1942, esta editora y tienda de instrumentos ya iba a cumplir casi 100 años de ser una de las instituciones más importantes de la música en nuestro país, pero la burocracia cuando quiere pude ser muuuuy paranoica y el gobierno de Ávila Camacho le echó bronca a esta institución musical y se preparó con soldados por si era necesario recuperar el himno nacional a punta de bayonetas antes que se lo dieran a los nazis. El asunto afortunadamente se zanjó de manera amistosa, gracias a que esta editora aclaró al gobierno que no tenía ningún derecho sobre el himno mexicano y que el registro que tenía sólo era el de una versión para banda de guerra hecha por el maestro Susano Robles, hecha aproximadamente en 1909; y con esta declaración se deslindaron del asunto, aunque hay que decir que en el oficio 11792 del 28 de agosto de 1909 dispuesto por la sección II del Departamento de Guerra del gobierno de Porfirio Díaz se declaraba a esta obra como la *versión oficial* del himno nacional.

Leyes y leyendas.

En el frente jurídico los abogados del gobierno llegaron a la siguiente conclusión: para que el Estado mexicano por fin pudiera poseer el himno nacional había que darle a los deudos o descendientes de Francisco González Bocanegra y Jaime Nunó Roca el premio por haber ganado el concurso convocado en 1853, cómo única forma para obtener los derechos de la obra. ¿Pero qué había que darles? La convocatoria nunca dijo en qué consistía el premio, y aunque siempre les podían salir con una foto autografiada del presidente Antonio López de Santa Anna en traje de baño, o un cenicero con la forma del calendario azteca, en general había un consenso entre los abogados de que este premio debía de consistir en dinero, pues los herederos difícilmente aceptarían otra cosa, y para hacer aún más canija esta situación, los juristas que le dieron su dictamen al gobierno señalaban: *"El himno nacional mexicano es una obra que tiene un enorme valor, que es intangible e incalculable"*.[15] Fue en este momento que todo el gabinete de Ávila Camacho debió entrar en pánico, porque ¿cuánto es *un enorme valor intangible e incalculable* en pesos mexicanos? ¿Más o menos la deu-

101

da externa o la deuda del IPAB? ¿Es el 50% del PIB? ¿Esto se podría pagar en abonos por las próximas mil generaciones de mexicanos? El Estado puso a los mejores actuarios y matemáticos del recién creado Instituto Politécnico Nacional a tratar de calcular esta cifra y se llegó a la conclusión de que *un enorme valor intangible e incalculable* son dos mil pesos mexicanos, pues se tomó cómo "pago del premio" la remuneración que en 1901 el gobierno de Porfirio Díaz le dio a Jaime Nunó cuando dirigió la orquesta que acompañó a un coro de niños en Palacio Nacional. Así que, sin saberlo, Don Porfirio salvo al país de quedar en la ruina por el pago de derechos del himno nacional.

Moraleja: cuando por alguna pendejada que cometas estés en la terrible responsabilidad de tener que dar una cantidad *intangible e incalculable,* da siempre dos mil pesos, no más.

Una vez desentrañado el misterio del premio de la convocatoria de 1853, la comisión nombrada por Ávila Camacho se dio a la tarea de buscar hasta por debajo de las piedras a quienes pudieran ser los presuntos herederos de los autores y encontró a la señora Mercedes Serralde Gónzalez Bocanegra de Ortega, descendiente de Francisco González Bocanegra, y a los dos hijos de Jaime Nunó, los estadounidenses James y Mercedes Nunó Remington, a los cuales, por un prurito nacionalista, previamente se les dio la ciudadanía mexicana. Así, el 13 de octubre de 1942, reunidos en el despacho del titular de la Secretaría de Educación Pública, el licenciado Octavio Véjar Vásquez, en cumplimiento del compromiso contraído por la nación hacía 88 años, reconoció a estas personas como los representantes de los vencedores del certamen, y en virtud de que en 1901 constaba que el gobierno le había dado $2,000 a Jaime Nunó, se le dio a la señora Mercedes Serralde Gónzalez Bocanegra de Ortega la misma cantidad, pues esta cifra, como ya comenté, se tomó como el monto del famoso premio de la convocatoria de 1853. Por supuesto, los de ella fueron pesos en billete, no en plata, como los que le dieron en 1901 a Jaime Nunó, pero como dice el dicho: "No hay quinto malo"; además, lo importante era que con esto por fin la nación mexicana podía ser dueña de su himno nacional. A los descendientes de Jaime Nunó sólo se les pagó la cantidad de $388, pues se encontró en documentos del gobierno de la república que se le quedó a deber al músico catalán está cantidad por la compra de partituras del himno nacional que a sus costas mandó imprimir el autor, con lo que al final el consejo que le dio Santa Anna a Nunó sí funcionó, pues con estas partituras pudo sacar una lana por su obra.

Un sepulcro de honor.

El acta de esta entrega se hizo por octuplicado y así, al cumplir el Estado en 1942 con la obligación contraída jurídicamente en el concurso de 1853, por fin adquiría todos los derechos sobre el himno nacional.

Ese mismo año, los restos de Jaime Nunó y de Francisco González Bocanegra fueron exhumados de los panteones donde estaban y llevados a "La Rotonda de los Hombres Ilustres", hoy llamada "La Rotonda de las Personas Ilustres", debido a que actualmente el nombre original suena demasiado machista, y ahí están enterrados uno al lado del otro. En vida, Nunó y Bocanegra sólo pudieron haberse tratado unos meses, pero por la obra que hicieron quedaron unidos para siempre, tal como los dejaron en sus actuales tumbas, y yo creo que esto ha sido lo único que ha hecho bien el gobierno mexicano por estos dos personajes.

Hay claras evidencias de que a los dos autores sólo los unió la casualidad, pero también de que no se llevaron mal cuando se conocieron, ambos tuvieron siempre un buen concepto el uno del otro, muy probablemente debido a que no se trataban.

Cuando entierren juntos a John Lennon y Paul MacCartney, que siempre se detestaron, ahí sí se va a cometer una de las mayores injusticias del mundo.

No son todas las que son, pero sí son todas las que están.

Ya con los derechos en la mano, Ávila Camacho seleccionó cuidadosamente las 4 estrofas que quedarían finalmente en la versión oficial del canto a la patria y el 4 de mayo de 1943 promulgó el decreto de la Ley del Himno Nacional, y por el cual no pude publicar en este capítulo estas estrofas. *Esta ley,* que reglamenta las estrofas y la forma oficial en que debe ejecutarse el himno, regula muchas cosas más, como por ejemplo que el himno debe escucharse o cantarse siempre de pie, que debe cantarse completo, etc… Esta disposición instaura una verdadera liturgia cívica para el canto a la patria que no descuida ni un solo detalle; por ejemplo, está legislado en el artículo 45 que los varones deben llevar la cabeza descubierta mientras cantan el himno. Por cierto, jamás entendí por qué en las giras mediáticas por la República que hizo el EZLN durante todo el sexenio de Zedillo, y en donde invariablemente se terminaba cada acto con la entonación del himno nacional, nunca se multó a los guerrilleros por cantarlo no sólo con la cabeza tapada, sino con todo y pasamontañas, pero supongo que si Gobernación no les hizo nada por levantarse en armas contra el gobierno, mucho menos les iba a pasar una multa por eso.

104

Para morir nacemos, pero ¿cuál es la prisa?

105

Para mediados de 1943, el general Lázaro Cárdenas, nombrado por Ávila Camacho Secretario de la Defensa Nacional, pudo anunciarle a los aliados que ahora sí México ya estaba listo para luchar en la Segunda Guerra Mundial, pues ya teníamos resuelta la posesión del himno nacional. Los Estados Unidos recibieron entusiasmados esta noticia, sólo que Cárdenas también les comunicó un pequeño detalle. No teníamos armas. Los gringos arreglaron eso de inmediato —si hay algo que a ellos siempre les ha sobrado son armas—. Una vez equipados los soldados mexicanos con lo más moderno de la época, Washington preguntó al general Cárdenas cuándo iba a mandar a los mexicanos a la guerra, a lo que el general Cárdenas contestó que como en las batallas hay muchos tiros y explosiones, lo más seguro es que alguien pudiera salir lastimado, incluso herido, y en México no contábamos con el material ni el equipo para enfrentar un problema sanitario de esas dimensiones. Los yanquis respondieron enviando toneladas de equipo médico y con eso se avitualló a los hospitales mexicanos del gobierno, para entonces ya era el año de 1944 y la administración del presidente Franklin Delano Roosevelt comenzaba a desesperarse, pues veía claramente que eso de obligar a que los mexicanos fueran a la guerra le estaba saliendo como su apellido: *Delano*. Para finales de 1944, Washington volvió a urgir al general Cárdenas para que le dijera cuándo iban a enviar soldados mexicanos a pelear y Cárdenas contestó que si por él fuera ya hubiera mandado hombres al frente desde 1942, pero México no tenía cómo transportarlos para ir a luchar hasta Europa o Japón. De inmediato, los Estados Unidos ofrecieron miles de barcos para transportar a los soldados mexicanos antes de que el general Cárdenas pudiera terminar de hablar. Los gringos por fin nos habían acorralado y ya no podíamos retrasar más nuestra entrada en los cocolazos, fue entonces que intervino el presidente Ávila Camacho para decirle al presidente Roosevelt que el gobierno mexicano por fin había decidido qué soldados iba a enviar a la lucha. Nuestro país iba a mandar una Fuerza Área Expedicionaria con pilotos de combate. Roosevelt estaba a punto de llorar de alegría… "Sólo que hay un pequeño problema", —comentó Ávila Camacho—. No tenemos aviones. Por supuesto, ya sabemos quién puso los aviones y el entrenamiento. Esta unidad expedicionaria mexicana se graduó con excelencia en un tiempo récord de nueve meses, cuando el entrenamiento básico regular duraba tres años, lo cual demuestra dos cosas: que los mexicanos no eran nada pendejos y que los gringos ya estaban desesperados por enviarnos al frente. Así nació el famoso Escuadrón 201, la única unidad del ejército nacional que oficialmente combatió en la Segunda Guerra Mundial. Sus misiones bélicas comenzaron a finales de mayo de 1945 en Filipinas y la guerra en el Pacífico se acabó oficialmente el 2 de septiembre de ese mismo año, con la rendición de Japón, por lo que en guerra, lo que se dice en guerra, oficialmente sólo estuvimos casi cuatro meses, y aunque parece poco tiempo, los integrantes del Escuadrón 201 la verdad siempre ejecutaron todas sus misiones con excelencia, con valor y hasta contentos, pues según todos los testimonios de los soldados que integraron esta Fuerza Aérea Expedicionaria lo que más desconcertaba a sus colegas del ejército estadounidense, al cual formalmente estaban integrados, era la alegría que siempre había en su campamento del *Campo Clark,* ubicado a 80 kilómetros de Manila, ahí por cierto esta unidad había puesto un letrero que decía: "Al Zócalo 10,000 kilómetros".[16]

El gobierno mexicano se empeñó en que su delegación militar fuera enviada a Filipinas, pues le parecía simbólico y apropiado que una fuerza mexicana participara en la liberación de un país donde se hablaba el idioma español, como en México. Por cierto, actualmente ya nadie habla español en Filipinas, espero no haya sido por nosotros.

Curiosamente, México no hizo la declaración de que terminaba oficialmente la guerra con Alemania sino hasta 1951, y aún no lo ha hecho ni con Italia ni con Japón, por lo que oficialmente todavía seguimos en guerra contra esos países y esto, oficialmente, debería de ser muy grave, pero si pensamos que en su momento estos países tampoco se enteraron de que les había-

107

mos declarado la guerra, ahora que hace años que el conflicto terminó la verdad sería vergonzoso hacerles ver a estos países que alguna vez fuimos sus enemigos. Aunque quién sabe en una de esas si convendría por lo menos enviarles un *mail* diciéndoles que al menos ya por nuestra parte se acabó la guerra, no vaya a ser que el día menos pensado un avión italiano nos bombardee la plaza de Coyoacán y no sepamos ni por qué.

Curiosidades sobre el himno nacional mexicano.

Mexican curious

Cuenta la leyenda urbana que el himno nacional está registrado en Estados Unidos, así como también se dice que un estadounidense tiene la cabeza de Pancho Villa y que en el Museo Metropolitano de Nueva York están las tostadas de pata que hizo Hernán Cortés cuando le quemó los pies a Cuauhtémoc; y que Pedro Infante no murió, sino que sólo se operó y ahora vive en Holywood haciéndose pasar por Brad Pit. Bien pero, con toda la pena, debo decirles que, en el caso del himno nacional, esta leyenda es completamente cierta.

El himno de México fue registrado en la editora BMI a nombre del señor Edward B. Marks y todos los años, cada 16 de septiembre, manda a la embajada, consulados y casas de México en Estados Unidos a los cobradores de BMI a pasarle la charola a las autoridades mexicanas exigiendo el pago de derechos de autor por la ejecución del himno nacional; y esto también lo hace en todos los encuentros deportivos donde participa una delegación oficial mexicana y se toca el himno; como por ejemplo, los partidos de la selección mexicana de futbol contra su similar de cualquier país si el partido se realiza en Estados Unidos.

Una de mis teorías sobre el bajo desempeño del equipo olímpico mexicano en las olimpiadas de Atlanta de 1996 es que nuestros atletas se dejaban ganar a propósito para evitar que en la entrega de las medallas de oro se tuviera que tocar el himno mexicano y pagar esas injustas regalías.

A continuación viene un documento que no tiene desperdicio; se trata de un fax enviado en 1999 por Consuelo Sayago, *Director of International Relations and Administration* de BMI, dónde se queja de lo poco que ha podido cobrar este pobre autor, el señor Edward B. Marks, pues en los últimos 3 años los tacaños mexicanos que están en Estados Unidos sólo han pagado de regalías 15 dólares. Y bueno, si pensamos que a los verdaderos autores del himno los mexicanos tardamos en pagarles 88 años, yo no sé de qué se queja este güey si en tres años ha logrado sacar 15 dólares sin haber hecho absolutamente nada en la creación de esa obra.

Consuelo Sayago
Director
International Relations and Administration

September 13, 1999

-VIA FAX-

SACM
ATTN: Gabriel Larrea Richerand
Fax: +525 611 0478

Re: Himno Nacional Mexicano

Dear Gabriel:

I refer to our telephone conversation today regarding the above work, an arrangement of which is registered at BMI by Edward B. Marks Music Company.

Further to same, this letter serves as confirmation that Edward B. Marks is receiving performance royalties for their version of this work. However, I would like to point out that these royalties are minimal (i.e. after reviewing the past three years, we found that less than US $15 combined royalties were distributed to Edward B. Marks.)

Kindly feel free to contact me with further questions or comments.

Best regards,

Consuelo Sayago
Director of International Relations and Administration

CS/at

My Docs/913 BM/ MCSfax

Esta extorsión de la cual son objeto las delegaciones mexicanas en Estados Unidos por cantar el himno nacional se debe a uno de esos tantos delitos que se pueden cometer al amparo de la ley. Resulta que el himno nacional mexicano es una obra anterior a 1909 y, por tanto, la vigencia de los derechos de autor de sus compositores ya caducó, por lo que para el criterio legal que prevalece en Estados Unidos esta obra es del dominio público y, teóricamente, cualquiera que lo desee la puede registrar. Fue al señor Edward B. Marks a quien se le ocurrió pasar de la teoría a la práctica; afortunadamente nos queda el consuelo de que esto no fue nada personal, ya que este cabrón hizo lo mismo con los himnos de Cuba, Colombia, Venezuela, Argentina, Chile, Francia, Camboya, Japón… ¡Uuuf! Resumiendo, en el Instituto Mexicano de Derechos de Autor, A.C., que preside el abogado autorialista Gabriel Larrea, se tiene documentado que míster Edward B. Marks tiene registrados todos los himnos del mundo, pues, aunque en algunos casos estas obras no son anteriores a 1909, no están protegidas en Estados Unidos.

Bueno, la verdad debo admitir que lo que dije es una exageración, míster Edward B. Marks no tiene todos los himnos nacionales del mundo registrados a su nombre, el de Estados Unidos y el de Israel no los registró. El de su país me imagino que no lo hizo porque su gestora de derechos de autor, la poderosa BMI, nomás no iba a tener cara para andar cobrando en Estados Unidos las regalías del señor Edward B. Marks por la ejecución de esta "obra suya" en el Super Bowl; y el himno de Israel supongo que tampoco lo registró porque como el señor Marks (sin "x") es judío sabe bien que entre paisanos no se hacen esas cosas.

Yo estuve sacando cuentas alegres de las rentas de Marks y llegue a esta conclusión: si tomamos como parámetro el promedio de ingresos de regalías por los himnos registrados en Estados Unidos, la carta donde la funcionaria de BMI se queja de que en tres años sólo le ha pagado México al "autor" del himno nacional 15 dólares, esto nos da un promedio de 5 dólares al año por concepto de regalías; y si pensamos que en el mundo hay más o menos 130 países, menos Estados Unidos e Israel, nos deja el lote en 128 naciones que sí pueden caerse con una lana; entonces, esto nos daría una cantidad de 640 dólares al año por regalías de derechos de autor por el uso de los himnos. Nada mal, si pensamos que es una lana que te dan por no haber hecho nada. El único ejemplo que conozco donde te pagan mucho más por hacer lo mismo es siendo diputado mexicano, pero mientras el legislador de nuestro país sólo disfruta de esta remuneración durante 3 años y no puede reelegirse, el señor Marks puede tener estos ingresos hasta el fin de su vida, o la del país al que le cobra, lo que ocurra primero.

El himno nacional mexicano tiene el número de registro 568879 en la editora BMI y, para colmo, tiene como autores a Henrry Hanneman, con el número internacional de control de obras CAE 99999960; y para la música, a Hill Phill y Jaime Nunó (que bien pudieron haberle puesto Haime Nunó). El editor de esta obra, es decir, quien cobra actualmente por estos derechos, es Edward B. Marks Music Company, con el número de CAE: 145037691. O sea que ni los autores originales tienen *derechos* sobre los de este cuate, o tal vez míster Edward sabe algo que nosotros no.

(Cómo se tocan ahora los organos)

Himnos comparados.

Himno de los Estados Unidos de Norteamérica.

El himno de los Estados Unidos fue escrito por un señor llamado Francis Scott Key en 1814 y se interpretó usando la música de una vieja canción inglesa llamada *To Anacreon in Heaven*. En el plagio de la música de otro autor no tuvo nada que ver míster Edward B. Marks, pero sólo porque aún no había nacido.

El himno español.

España no tiene letra en su himno, sólo música. Esta es una marcha que se tomó como himno oficial. Cuando vemos a la selección española de futbol cantando mientras tocan su himno, en realidad sólo están tarareando la melodía. Sólo la república española tuvo himno con letra, el cual desde luego quedó prohibido cuando los nacionales ganaron la guerra civil. En los primeros años de la década de los 80 del siglo XX, los españoles intentaron sacar un nuevo himno al igual que se hizo en México, por medio de un concurso, pero fue tal la bronca que se desató por las obras que ahí se presentaron que este concurso amenazaba con convertirse en una nueva guerra civil y las autoridades lo dejaron por la paz, pidiéndole a la virgen del Pilar que esto del himno se olvidara lo más pronto posible. Hasta la fecha a nadie se le ha vuelto a ocurrir ponerle letra a la música del himno español.

El himno francés.

La Marsellesa es el himno más famoso del mundo. Fue compuesto por Claude-Joseph Rouget de Lisle y al

113

igual que el himno mexicano fue prohibida su ejecución por razones políticas: la primera durante el imperio napoleónico, ya que ese era el himno de la República; la segunda durante la época de la restauración de la monarquía; la tercera durante el segundo imperio napoleónico y la cuarta durante la Segunda Guerra Mundial por el gobierno de la Francia colaboracionista de Vici de 1940 a 1945. Curiosamente, esta obra que representa a Francia por antonomasia no fue declarada como himno oficial de este país sino hasta 1958.

El himno italiano.
El primer himno de los italianos fue el área de los esclavos de la Opera Nabuco de Verdi.

El himno alemán.
El himno de Alemania (Das Deutschlandlied – La Canción de Alemania) fue compuesto nada menos que por Joseph Haydn en 1797 y convertido en el himno nacional alemán en 1871; su letra ha ido transformándose con los años, al igual que le pasó al himno mexicano. Durante el régimen nazi el himno alemán fue recortado para que se cantara sólo la primera estrofa y se le hizo un arreglo para integrarle como acto seguido el himno del Partido Nacional Socialista. Por motivos políticos, la versión nazi fue completamente censurada (el motivo político más importante fue que los nazis perdieron la guerra). A partir de 1952, una nueva versión de la composición de Haydn fue declarada el himno oficial alemán (de Alemania Federal, pues la Alemania Democrática tenía otro).

El himno argentino.

El himno nacional argentino fue denominado originalmente *Marcha patriótica,* luego *Canción patriótica nacional* y posteriormente *Canción patriótica*. Una copia publicada en 1847 lo llamó "Himno Nacional Argentino", nombre que ha conservado hasta la actualidad. La versión original del himno duraba ¡20 minutos!

Al igual que en el caso del himno mexicano, el autor de la música del himno argentino vigente en la actualidad fue un músico catalán llamado Blas Parera, el autor de la letra fue Vicente López y Planes, cuyos versos remplazaron al himno anterior hecho por el señor Luca en 1812, al que también había musicalizado el catalán Blas Parera. La letra de Vicente López y Planes fue aprobada por la asamblea general constituyente como "Marcha Patriótica" el 11 de mayo de 1813. Al día siguiente, le encargó componer con urgencia una nueva música al mismo Blas Parera. Algunos autores dicen que éste accedió en un principio, otros que no, pero el caso es que pasados varios días, como no presentaba ningún resultado, le reclamaron al músico y éste se negó a hacer la composición, alegando que la letra era ofensiva contra España y que él temía a las represalias del gobierno del rey y seguramente hasta de su mamá y su abuelita, que eran españolas. Blas Parera fue encarcelado por el gobierno y obligado a componer bajo pena de fusilamiento; en una sola noche terminó la partitura (así cualquiera se inspira), donde simplemente copió la música que había compuesto antes para el otro himno. Fue liberado y en el primer barco abandonó para siempre Argentina; vivió varios años en Río de Janeiro y finalmente en España, donde murió.

115

El himno de Chile.

La música del himno actual chileno también fue encargada a un músico catalán (cuando quiera un himno, busque un catalán). Este canto patriótico fue encargado por el caudillo y libertador de este país Bernardo de O´Higgins a su tocayo Bernardo de Vera y Pintado en 1819. Aquí no hubo concursos ni nada, pero la versión original constaba de 10 estrofas, al igual que la original del himno mexicano, se estrenó el 18 de septiembre, día de la fiesta nacional de ese país sudamericano, y se le dio el nombre de "Canción Nacional de Chile". Diez días más tarde, para el 28 de septiembre de ese año, se aprobó oficialmente ese canto como oficial. Así de fáciles son las cosas cuando las decisiones del jefe no pasan por concursos, ni asambleas, ni auditorías, ni apelaciones, ni amparos, ni todas esas cosas que nos encanta ponerle en México a cualquier decisión del gobierno.

Una vez obtenida la letra del himno se buscó ponerle música y en la primera versión se utilizó la melodía compuesta por el catalán Blas Parera, usando directamente la música del himno argentino con la letra del chileno, pero con una rivalidad tan manifiesta entre ambos países que esto fue una situación insostenible, por lo que se encomendó a José Ravanete otra melodía para el himno y al no ocurrírsele algo mejor de plano le puso la música de una canción popular Española hecha contra la invasión de Napoleón Bonaparte, pero la letra de plano no entraba en la música ni a patadas, por lo cual se tuvieron que hacer agregados de sílabas a cada estrofa para que cuadrara. Aquí va un ejemplo de cómo quedaba el himno:
"Arrancad el puñal al tirano, sí, sí, sí, sí.
quebrantad ese cuello feroz, sí, sí, sí, sí."

Por supuesto, esta versión fue un rotundo fracaso, y cuando a los chilenos les preguntaron si querían otra música para el himno, todos dijeron: sí, sí, sí, sí.

En el caso del himno mexicano, para poder cuadrar la letra con la música nosotros debemos prolongar algunas vocales en la penúltima línea de casa estrofa, como por ejemplo en la parta de "y retiemble en sus centros la tieeerra".

Los chilenos encargaron al violinista Manuel Robles Gutiérrez una nueva versión del himno para presentarla en el cumpleaños de O´Higgins el 20 de agosto de 1820. Esta melodía sencilla y popular tuvo gran éxito debido principalmente a estas dos características y fue respaldada por el gobierno mientras O´Higgins estuvo en el poder, bueno, por casi todo el gobierno, pues el embajador de Chile en Londres, Mariano Egaña, no veía con buenos ojos que un himno pareciera una canción folklórica, digamos que lo sentía un poco naco, así que de propia iniciativa, es decir, que por sus puros… ánimos se dedicó a buscarle otra música al himno de su país: Le encargó a su amigo y músico catalán (tenía que ser) Ramón Carnicer i Batlle otra composición para la letra de Vera y Pintado que remplazara a la guapachosa versión de Robles. La partitura de esta obra fue mandada desde Londres y se estrenó el 23 de diciembre de 1828 en un concierto de la Sociedad Filarmónica de Santiago en que se inauguró el teatro de la plaza O´Higgins. Hay que decir que en esa función se tocó al principio el himno chileno de la versión de Robles Gutiérrez, como era la costumbre en todos esos eventos, y al tocarse poco después la versión de Carnicer, ésta desplazó a la anterior casi de manera unánime y espontánea, sin que mediara comisión, concurso o decreto alguno. El señor Robles debió haber dicho: *Sic transit gloria mundi* (Así termina la gloria del mundo). Restablecidas las relaciones entre España y Chile en 1846, a los políticos chilenos les parecieron inapropiadas las estrofas antihispanistas y el encargado de negocios de Chile en España, Salvador Talavera, impugnó algunas estrofas del himno por considerarlas "poco diplomáticas", por decirlo de manera diplomática, por lo que el gobierno del presidente Manuel Bulnes encargó al poeta Eusebio Lillo Robles hacer unos cambios al himno nacional. Esos chilenos me encantan, hacen cualquier cambio con tal de hacer buenos negocios que les dejen divisas al país; si por la misma razón aquí algún presidente modifica la letra del himno mexicano para quedar bien con un país extranjero, lo cuelgan de la Columna de la Independencia y cae su gobierno, así somos los mexicanos, como diría mi abuelita: Entendidos del honor y desentendidos del gasto. En 1847 se estrenó una nueva versión del himno ya *spanish frendly* y en 1904 el mismo Eusebio Lillo hizo todavía nuevas modificaciones, pues había quedado en la letra un poco de mala leche contra los españoles de la letra original de Vera y Pintado. Las últimas adecuaciones al himno fueron en una estrofa "invasor" por "opresor" y "de tres siglos lavamos la afrenta" por "del vasallo borramos la afrenta". Esta vez los chilenos se cuidaron de sellar los cambios con el decreto no. 3,482 del 12 de agosto de 1909, con lo que tuvieron el himno oficial del que gozan hasta nuestros días, que por cierto también fue oficialmente acortado por motivos prácticos.

118

El himno de Perú.

Al igual que el himno mexicano, el de Perú salió de un concurso que el general San Martín convocó en 1821. Los versos ganadores fueron del poeta José de la Torre Ugarte y la música de José Bernardo Alcedo (este señor inexplicablemente no era catalán). La letra original fue corregida posteriormente para tratar de arreglar como mejor se pudiera todas las injurias que tenía para España, como le pasó prácticamente años después a casi todos los himnos de lo que fue el antiguo imperio español, el mexicano se salvo de esto, y se volvió prácticamente imperecedero gracias a la genial y sutil ambigüedad cantinflesca que nos caracteriza, pues en nuestro canto patriótico las referencias al enemigo son siempre abstractas, así como en los discursos oficiales que antes se echaba el PRI: "Esos oscuros enemigos de siempre", "esos enanos de tapanco", "esas sombras de la pérfida insidia", "esos buitres de la desunión", "esos oficiantes del sórdido rito de la discordia nacional" , etc. En el resto de nuestros países hermanos, donde el temperamento nacional no concibe esas finísimas sutilezas mexicanas, al enemigo siempre le llamaron claramente "el español" y los adjetivos que lo acompañaban siempre fueron de hijo de la chingada para arriba; por lo cual, pasadas ya las pasiones de la guerra de Independencia, y al parecer nuevos y feroces enemigos que ya nada tenían que ver con España y que básicamente eran los nuevos países hermanos que ahora estaban al lado, los himnos nacionales de todos estos países debieron ser "corregidos" para adaptarlos a los nuevos tiempos. En el caso del himno del Perú existe el curioso dato de que en el 2005 la primera estrofa fue declarada ¡apócrifa! por el

119

Tribunal Constitucional, por lo que esta fue retirada. En otra resolución de la misma sentencia, la corte resolvió restituirle al himno una estrofa que fue censurada de la versión oficial por ser percibida como inconvenientemente antiespañola en algún momento del siglo XIX. Ésta es la estrofa que fue restituida:

> Excitemos los celos de España
> pues presiente con mengua y furor,
> que en concurso de grandes naciones
> nuestra patria entrara en parangón.
> En la lista que de éstas se forme
> Llenaremos primero el reglón
> Que el tirano ambicioso Iberino,
> Que la América toda asoló.

120

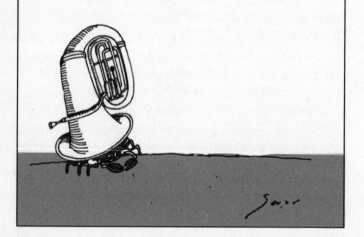

No mamambo.

Hay muchas cosas que están prohibidas con el himno nacional, pero la que al Estado mexicano más le molesta y por ello evita que se cometa con todo celo es que se baile porque eso sí es anatema. Aquí van algunos de estos casos.

En 1953, Dámaso Pérez Prado compuso un arreglo a ritmo de mambo del himno mexicano y por esta razón fue expulsado del país.

La sensacional versión en cumbia del himno nacional realizada en el 2010 por Don Fernando Rivera Calderón, como parte de los festejos del bicentenario, fue impedida por agentes de gobernación el día de su estreno en un famoso teatro bar de la Ciudad de México, pues violaba la ley del decreto de Ávila Camacho de 1943 y la ley de símbolos patrios de Miguel de la Madrid de 1984; así que, con los judiciales en el teatro, fue tocada sólo la música de la cumbia sin cantar la letra y bajo la advertencia al público de que por favor no pensaran en las estrofas del himno mientras escuchaban la melodía, pues podrían cometer un delito.

La versión rokera del himno nacional, con guitarras eléctricas y un vertiginoso ritmo punketo como para bailar *slam*, estuvo a cargo del grupo *OJFR Project* y desde luego la banda fue multada por Gobernación; esta curiosa versión del himno se podía apreciar en la pagina web: hazme *el chingado favor.com*, pero el video ya fue sacado por quienes editan el sitio.

Sin enmbargo, el himno nacional mexicano es perfectamente bailable en su versión oficial, ya que es una *sardana*, es decir, el baile tradicional de Cataluña. Creo que ya dije antes que el señor Jaime Nunó era catalán y por eso en su composición para el himno mexicano usó una sardana; y si hubiera sido aragonés, de seguro habría usado una *jota;* y si hubiera sido andaluz, a lo mejor lo hace con una *sevillana* o una *rumba,* pero como era catalán , pues, ya se sabe, usó una sardana.

(Para quedar parejos, propongo que ahora que Cataluña se independice y haga su propio himno, les mandamos a un jarocho para que le ponga música a la letra de su canto patriótico con un *son zapateado,* o a alguien de la Banda

121

Limón para que le ponga una melodía de *pasito duranguen-
se.)* Cómo decía, irónicamente el himno mexicano está hecho con música para bailar, sólo es cuestión de aprender a
bailar *sardana*. En el Orfeo catalán que está en la calle de
Marsella, en la colonia Juárez, dan clases, aunque eso sí, aquí
no te ponen la música del himno mexicano, pero en Cataluña me consta que se baila y aquí transcribo un testimo-
nio de este hecho que fue publicado en la página web del
Consulado de México en Barcelona que organizó los festejos
del Grito de Independencia en Sant Joan de les Abadesses
en el 2007 para la comunidad mexicana en Cataluña, donde
los catalanes se pararon espontáneamente y empezaron a
bailar el himno en cuanto lo oyeron; eso sí, lo único que no
les gustó —desde luego— , fue que la letra de la *sardana*
estaba en español.

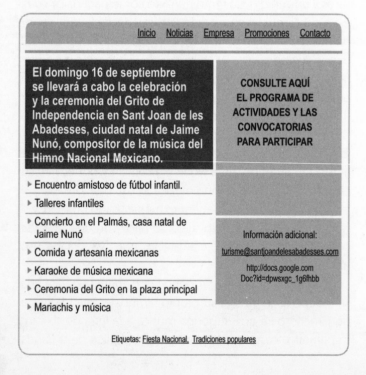

Inicio   Noticias   Empresa   Promociones   Contacto

El domingo 16 de septiembre se llevará a cabo la celebración y la ceremonia del Grito de Independencia en Sant Joan de les Abadesses, ciudad natal de Jaime Nunó, compositor de la música del Himno Nacional Mexicano.

CONSULTE AQUÍ EL PROGRAMA DE ACTIVIDADES Y LAS CONVOCATORIAS PARA PARTICIPAR

- Encuentro amistoso de fútbol infantil.
- Talleres infantiles
- Concierto en el Palmás, casa natal de Jaime Nunó
- Comida y artesanía mexicanas
- Karaoke de música mexicana
- Ceremonia del Grito en la plaza principal
- Mariachis y música

Información adicional:
turisme@santjoandelesabadesses.com
http://docs.google.com
Doc?id=dpwsxgc_1g6fhbb

Etiquetas: Fiesta Nacional, Tradiciones populares

✏ 5 comentarios:

Anónimo dijo...

Soy mexicana y vivo en Barcelona desde julio del 2005, así que de recién llegada asistí a la celebracion del Grito de Independencia en Sant Joan de les Abadesses, fui acompañada por mi marido y mis suegros y quedamos muy satisfechos con el programa y la buenísima organizacion del evento. Fue chistoso ver cómo bailaban el himno. Se los recomiendo a todos: a mexicanos y a toda la gente que quiera conocer un poquito de nuestra rica cultura. Yo este año claro que volveré a ir. ¡Ahí nos vemos!

domingo, 02 septiembre, 2007 🗑

Lucy Alonso V. dijo...

123

Buen día, soy mexicana y es la segunda vez que acudo al evento de Sant Joan de les Abedesses, y me gustaría comentar que a mi parecer es un día importante en donde los mexicanos nos sentimos unas horas en casa, y aunque queda claro que Sant Joan de les Abedesses accede a que hagamos esta celebracion en donde siempre impera el respeto al pueblo catalán, por qué nos imponen sus tradiciones como la sardana, que ademas es la primera vez que veo que se baila el himno, no creen que en esos casos se debería de moderar la intervencion de ellos, finalmente todo el año hablamos catalán, leemos catalán, vemos sus fiestas con respeto y sobre todo convivimos y aceptamos su cultura con respeto, ellos podrían hacerlo igual; en fin, en cuanto a la organización, como siempre es genial y es siempre grato ver, comer, sentir y vibrar con los colores de México.

lunes, 17 septiembre, 2007 🗑

Ariadna dijo...

Yo también estuve ayer en Sant Joan y me pareció un gran festejo. Yo no creo que la bailada de la sardana del himno nacional haya sido una imposición. Al contrario, me parece un homenaje muy bonito a México en su día nacional. Además el autor de la música del himno fue un catalán nacido en ese pueblo, así que mal que bien también es su historia. En fin, a mí me pareció muy bien, y la fiesta estuvo increíble. Espero que se haga nuevamente el año entrante. Saludos.

lunes, 17 septiembre, 2007 🗑

Gloria dijo...

He asistido a las dos últimas ediciones del Grito de la Independencia en Sant Joan de les Abadesses. En las dos ocasiones he tenido la certeza de que en este acto se hermanaban dos culturas. Bajo ningún concepto he tenido la sensación de que nadie quisiera imponer nada a nadie. Al contrario. He tenido la agradable sensación de ver dos pueblos unidos en un acto festivo, muy agradable por cierto. Los catalanes con los que he podido platicar se han mostrado orgullosos y satisfechos por el hecho de que un compatriota suyo hubiera sido el compositor de la música del himno de una gran nación como la nuestra. ¿No es esto un ejemplo de unión, de convivencia y de respeto? Estuve presente en el acto de presentación de la sardana a la que alude la Sra. Lucy y me sentí muy orgullosa de ver que alguien de otro país elige nuestro himno para expresar con hechos la gran unión que existe y ha existido siempre entre nuestra patria y Cataluña. Creo que ese amable gesto es un claro ejemplo de mestizaje y solidaridad. Entender la colaboración de todo un pueblo, en un acto tan mexicano, como una imposición me parece un punto de vista malintencionado, desagradecido o, como mínimo, corto de miras. Como mexicana, le agradezco a Sant Joan de les Abadesses que, por un día, cada año nos preste su hermosa villa para celebrar nuestro Grito de la Independencia. Les invito a asistir a esta fiesta, y comprobar que no hay otra "imposición" que la de pasarlo bien padre. "VIVA MÉXICO" y "VISCA CATALUNYA".

sábado, 06 septiembre, 2008

Eli Vázquez dijo...

Hola a todos, soy Elizabeth Vázquez del grupo México Baila, tuve el honor de ser la presentadora del evento en Sant Joan de les Abadesses y en primer lugar quiero trasladarles todo mi agardecimiento a las personas que acudieron al evento y estuvieron animando todos los espectáculos que se hacen desde el cariño y la pasión que sentimos por nuestra patria; en segundo lugar, quiero hacerles una aclaración, porque ese día recibí muchos comentarios de personas a las que no les gustaba que bailaran como sardana nuestro himno nacional, pues nada más aclararles que no es el himno, es una sardana que se llama un Sant Joanic a Méxic, por supuesto basada en la obra del Sr. Jaime Nunó. Saludos y esperemos vernos el año entrante.

125

1 Los abogados Gabriel y Manuel Larrea, del Instituto Mexicano de Derechos de Autor. A.C.

2 Para conocer cuáles son las estrofas oficiales del himno nacional mexicano, favor de consultar la *Ley sobre el escudo, la bandera y el himno nacionales* que se encuentra en la página *web* de la Secretaría de Gobernación.

3 *Mexicanos al grito de Guerra,* Fernández Editores, p.5, 1953.

4 *Op cit.,* p.6, 1953.

5 Archivo del expediente del himno nacional del Instituto Mexicano de Derechos de Autor.

6 Barajas, Manuel, *El himno nacional mexicano, su historia y la búsqueda del original,* Ediciones de la Secretaría de Educación Pública, 1942.

7 *Mexicanos al grito de guerra,* Fernández Editores, p.9, 1953.

8 La zaga de políticos de la dinastía Lerdo de Tejada continúa hasta nuestros días. En 1993, el legislador priista Fernando Lerdo de Tejada fue el único diputado que subió a tribuna para oponerse enérgicamente a que la cantante Madonna presentara una serie de conciertos en México para promover su disco *SEX* por considerar que las canciones eran obscenas, lascivas, degradaban al pueblo de México y ofendían a la virgen de Guadalupe (de seguro la virgen se lo dijo). Por cierto, esta fue la única vez durante toda la legislatura que este Lerdo de Tejada usó la tribuna.

9 Héctor de Mauleón, "El regreso sin gloria de Jaime Nunó", *Nexos,* 2005.

10 *Op cit.*

11 Traducción del catalán: "Huevos de Dios, Jaimito, la has cagado".

12 Héctor de Mauleón, "El regreso sin gloria de Jaime Nunó", *Revista Nexos,* 2005.

13 Archivo del expediente del himno nacional del Instituto Mexicano de Derechos de Autor.

14 Ídem.

15 Ídem.

16 Héctor Dávila, "Escuadrón 201", *América Vuela,* no. 80, agosto-septiembre de 2002.

¡PORFIRIO DÍAZ TENÍA LA MISMA ENFERMEDAD DE MICHAEL JACKSON!

Los precandidatos del PAN para la presidencia en el 2012 no son grises, pero sí de un azul deslavadón.
Manuel Espino, ex dirigente del PAN.

A lo largo de su vida, Porfirio Díaz fue retratado continuamente y es curioso cómo a medida que pasaba el tiempo se iba blanqueando cada vez más, y más, y más. Sus primeras imágenes son las de un joven típicamente oaxaqueño, moreno y con fuertes rasgos mestizos, y las últimas son las de un europeo viejo de pelo blanco y piel aún más blanca. Por lo que lo más probable es que el dictador mexicano tuviera lo mismo que Michael Jackson —en la piel, claro—, porque al general Díaz lo podrán acusar de todo, menos de *quererse sacar a los niños de la rosca.* Una hipótesis del cambio de pigmentación en la piel de Don Porfirio propone que tras llegar al poder no volvió a padecer la pobreza de su niñez y juventud, y al dejar de *vérselas negras,* un día comenzó a dejar de ver también *negras* otras partes de su cuerpo. Al parecer, esto mismo fue lo que le pasó a Michael Jackson cuando recibió su primer disco de oro.

Otra teoría es que, una vez en el poder, los que lo retrataron se esforzaron por blanquearlo para hacerlo lucir más guapo y más hombre (de Estado, claro), pero eso es muy poco probable, porque en México jamás llegaríamos a esos excesos con tal de adular a un presidente, mucho menos a un dictador.

ESTE ES EL CATÁLOGO *PANTONE*
DE PORFIRIO DÍAZ.

Porfirio Díaz hacia 1854, cuando se pronunció
el Plan de Ayutla.

128

Porfirio Díaz hacia 1866, en plena guerra contra el
imperio de Maximiliano.

Porfirio Díaz hacia 1877, cuando por fin fue
por primera vez presidente de México.

Porfirio Díaz hacia 1881, cuando se casó con
Carmen Romero. Ella tenía 17 y él 51 años.

1890, pleno porfiriato. Ésta es la imagen que sale de él en la película *¡Ay qué tiempos, señor Don Simón!*, con Joaquín Pardavé.

130

Porfirio Díaz hacia 1900. Podría ser el general Joseph Joffre de las tropas francesas de la Primera Guerra Mundial.

Porfirio Díaz retratado para los festejos del
Centenario en 1910.

131

EL "ATONTADO" A PORFIRIO DÍAZ.

Hay cocineros que presumen sus quemaduras como heridas de guerra; para mí, una quemadura es una falta de oficio. Yo prefiero quemarme en sociedad que en la cocina.

Enrique Olvera, cocinero mexicano.

Esta es la historia de un extraño atentado que no sé si pueda considerarse como tal, ya que lo único que sufrió la víctima fue un empujón que hizo que se le cayera el sombrero, pero como la persona que sufrió este ataque fue nada menos que Porfirio Díaz, este acto echó a andar la maquinaria colosal y enloquecida de todo el sistema mexicano de aquella época y esto sí tuvo terribles consecuencias. "Atontados" como éste, en nuestra época, me parece que sólo podemos encontrar dos ejemplos para tener una base de comparación.

El "atentado" de Bagdad en el 2008 con los zapatazos que un reportero árabe le lanzó a George W. Bush, prácticamente a unos días de que terminara su mandato, cuando el presidente gringo realizó una visita sorpresa a Irak y dio una conferencia de prensa en donde el periodista iraquí Muntadahar Al-zeidi erró sus tiros con dos zapatos que le lanzó, pero alcanzó a gritarle: "Toma tu beso de despedida, pedazo de perro".

133

Aquí vemos la imagen del momento del zapatazo de Muntadahar Al-zeidi. La CIA asegura que Sadam Hussein estaba construyendo un zapato gigante para lanzarlo contra Israel y que gracias a la invasión de Irak en el 2003 se evitó el uso de esa terrible arma bacteriológica, que pudo haber llenado de pie de atleta a todo el Medio Oriente.

Y el del año 2009, cuando al mandatario italiano Silvio Berlusconi le partieron el hocico con una estatuilla de bronce para turistas del *Duomo de Milano* y le tumbaron varios dientes; y al tipo que se lo hizo, un ingeniero de nombre Massimo Tartaglia, quien supuestamente tendría problemas psicológicos, no le pasó nada. Precisamente por esa razón la justicia italiana lo declaraba incapacitado para ser procesado por agredir personas, pero curiosamente no para ejercer la profesión de ingeniero. Sutilizas de la legislación.

Esta imagen tomada por un testigo de los hechos a través de un celular con video y que a su vez la tomó la televisión italiana, y que a su vez la tomó CNN, y que a su vez la tomó SDPnoticias.com y que a su vez fue tomada por mí. Ilustra el momento en que un *souvenir* para turistas le parte la cara al presidente italiano.

De hecho, parece que a partir de este atentado el señor Tartaglia dejó la ingeniería y ahora ejerce como dentista, donde saca muelas a base de golpes con reproducciones de diferentes obras de arte italianas; sus endodoncias y extracciones de muelas del juicio con la técnica de lanzar figuritas del *David* de Miguel Ángel a la mandíbula de los pacientes son célebres en todo el mundo y una opción atractiva para las personas con estos problemas bucales, pues éste es el tratamiento más barato de su tipo en Europa.

De estos dos atentados se obtuvieron las siguientes consecuencias.

RECIBE MÁS DE 300 MIL PEDIDOS EL ZAPATO DE BUSH

AGENCIA EFE.
Ankara, 18 de diciembre de 2008.

El zapato arrojado contra el ex presidente George W. Bush por un periodista iraquí se ha convertido en el mejor anuncio para la compañía turca que fabrica este calzado, que tan sólo en lo que va de diciembre ha recibido pedidos por más de 300 mil pares para surtir en todo el mundo este calzado. Así lo recogieron los medios turcos de boca de Ramazan Baydan, presidente de la empresa Baydan Shoes Company que fabrica este calzado...

135

Esta nota fue interpretada por el Pentágono como una evidencia de que los árabes estaban rearmándose y de que era posible que ya estuvieran trabajando en zapatos con tacones de cabeza nuclear.

Sin embargo, en Italia las reproducciones en bronce de basura para turistas del *Duomo de Milano* no se vendieron más y de hecho ahora en las tiendas de *souvenirs* italianas estas reproducciones están hechas en cojincitos estampados rellenos de hule espuma. Me consta.

Por otro lado, hay que mencionar que al *signore* Tartaglia no se le hizo NADA por romperle los dientes a Berlusconi, sólo se le detuvo menos de 6 horas, sin que se le procesara o fichara por ningún delito; y en la comisaría todavía externó ante la prensa su incomodidad porque tuvo que ir al baño acompañado por uno de los policías que lo custodiaba, incluso al salir exigió una disculpa de Berlusconi (es en serio).

En cambio, el reportero iraquí Muntadahar Al-zeidi, además de que le pusieron una madriza ejemplar, se vio obligado a pedir disculpas públicamente a George W. Bush en una carta por su "mal comportamiento" y fue condenado a varios años de cárcel, y eso que ni siquiera le llegó a pegar ni una sola vez al pinche Bush, por lo que nos podemos imaginar que si le hubiera dado al menos un zapatazo de seguro que lo habrían puesto en un trompo como para tacos al pastor para hacer *Shish Kebab* con su carne mutilada.

Eso sí, Muntadahar Al-zeidi impuso una efímera moda de lanzar zapatazos a importantes personalidades como señal de repudio, como lo hicieron con el primer ministro australiano, el mandatario turco, etcétera, y como que ya lo piensan hacer mis hijos cada 6 de enero porque no les pareció lo que les trajeron los reyes magos.

Como vemos, a principios del siglo XXI dos "atontados" a gobernantes en diversos países produjeron efectos muy diferentes y, desde luego, fueron ataques mucho más fuertes que el que recibió Porfirio Díaz en México en el siglo XIX; sin embargo, lo que le pasó al tipo que perpetró el "atontado" contra el dictador mexicano fue mucho, pero mucho peor, que lo que le hicieron al reportero Muntadahar Al-zeidi. Ese fue el caso de Arnulfo Arroyo y esta es la historia.

La mañana del jueves 16 de septiembre de 1897 en la Alameda de la ciudad de México apareció un individuo con aspecto de pordiosero y que olía como teporocho. Se presentó en una ceremonia pública con motivo de los festejos del Día de la Independencia, en donde estaba el presidente Porfirio Díaz; este personaje logró burlar la valla de seguridad que los cadetes del colegio militar habían hecho en torno de la comitiva del presidente, se abrió paso y golpeó con la mano al presidente Porfirio Díaz en la nuca sin lograr derribarlo. Díaz acaba de cumplir 67 años, pero está como un roble (de los sanos), ejercita todas las mañanas y todas las noches se coge a su joven y bella esposa de 33 años doña Carmen Romero, con quién se casó cuando ella tenía 17 y él 51 —de haber vivido Lidia Cacho en esa época, impide la boda—. Eso de 40 y 20 de José José queda *fresa* comparado con lo que se hacía en el siglo XIX. Pero volviendo al tema, la única consecuencia de este "ataque" es que Don Porfirio trastabilla un poco y se le cae al suelo el bicornio de su uniforme de generalísimo, el cual el dictador recogió serenamente y continuó su camino; así como lo describo es como fue este atentado. Como vemos, es un hecho tan intrascendente que fue olvidado completamente por la historia, pues en ningún lado se consigna que Porfirio Díaz, mientras fue presidente, sufriera algún atentado, y es que, al paso de los años, la verdad es muy difícil calificar como atentado lo que ocurrió esa mañana del 16 de septiembre de 1897;

137

sin embargo, para los que vivieron ese día, éste fue el peor acto de salvaje terrorismo que se haya registrado jamás en el mundo; desde luego todavía no conocían esos mexicanos lo de las torres gemelas de Nueva York, pero eso les hubiera parecido poco comparado con lo que acaban de hacerle a Don Porfirio.

Los periódicos de la época consignan que después del empujón de Arnulfo Arroyo contra Porfirio Díaz, los miembros de la comitiva del presidente y la guardia de los cadetes del colegio militar se lanzaron contra el agresor. El comodoro Ángel Ortiz Monasterio le dio tan formidable golpe con su bastón al agresor de Don Porfirio que se rompió y con el pedazo del bastón roto Arnulfo Arroyo trató de defenderse del general Pradillo, que saltó sobre él para derribarlo, y en este forcejeo Arnulfo le rompió la manga del uniforme al general; finalmente, el teporocho que golpeó al presidente es derribado por un culatazo en la pierna que le propinó un cadete del colegio militar y de ahí todos los ministros se lanzaron sobre él para patearlo y hacerle *pamba china* con picahielo. Se oyó el grito del presidente Díaz diciendo: "¡Denle garantías, denle garantías!" Este hombre pertenece a la justicia, y el linchamiento es suspendido en el acto. Arroyo es conducido en calidad de detenido al Palacio Nacional, Porfirio y su comitiva continúan su ceremonia y aquí no ha pasado nada… es decir, aparentemente, porque a partir de ahí comenzaron las dudas.

Lo terrible no es que te digan que sí o que no... lo que cala es la incertidumbre.

Al detener a Arnulfo Arroyo se le encuentran en los bolsillos dos boletas de empeño: una por un puñal y la otra por una pistola, por lo que para la policía, y sobre todo para los medios, el hombre que atentó contra el presidente llevaba puñal y pistola, y toda la clase política porfirista se preguntó horrorizada, ¿qué habría pasado si este monstruo llega a usar la pistola y el puñal que tenía contra Don Porfirio? Claro, el hecho de que lo que trajera consigo fuera tan sólo las boletas de empeño de estas armas era un detalle sin importancia. En todo caso, este fue un crimen más que impidió la benemérita institución del Monte de Piedad, a quien los mexicanos jamás terminaremos de agradecer tantos favores.

Después de este hallazgo, los acontecimientos comenzaron a desarrollarse vertiginosamente y de manera fatal; el rumor de que un horrible criminal había querido acabar con la vida del presidente cundió por toda la ciudad y la gente empezó a llegar de todas partes a donde se encontrara Porfirio Díaz, ya sea por morbo o por genuino apoyo al caudillo. El caso es que la multitud se amontonó ese día al paso del dictador para vitorearlo, aplaudirle, las muchachas le aventaban flores y las señoras lloraban al verlo, conmovidas dando gracias a Dios porque el presidente estaba vivo. Ese día el paso de Don Porfirio por la ciudad de México fue de triunfo romano. El supremo héroe de México se había plantado firme ante la muerte y había salido ileso y muy torero de la fatal emboscada.

Los comentarios de que el artero ataque perpetrado por un infame teporocho, que seguramente era un desquiciado anarquista al servicio de los perores enemigos de la patria, iban creciendo en una verdadera reacción en cadena. Para la tarde del 16 de septiembre, al llegar Porfirio Díaz a un acto en la Cámara de Diputados, fue recibido con una sonora ovación, seguida de una ola de aplausos que duró varios minutos. El diputado Justino Fernández, en nombre del Congreso, pronunció un discurso condenando el atentado: "Los señores diputados y senadores, amigos de usted y sinceros partidarios de su sabia política, me honran en estos momentos con su representación para patentizar a usted la verdadera pena y profunda indignación que sienten por el infame atentado del que ha sido objeto esta mañana". [1]

Este discurso contenía los sentimientos de la élite porfirista ante lo sucedido: *profunda indignación* y *verdadera pena* de todos los partidarios de *esa sabia política* que, entre otras cosas, los había hecho diputados, senadores, generales, industriales, gobernadores, jefes de policía, etcétera.

Estas sentidas impresiones fueron recogidas por la prensa y así engrosaron esa complicada madeja de rumores, prejuicios, malos entendidos y razonamientos simplistas o prodigiosamente rebuscados que componen eso que llamamos "Opinión Pública". En ese momento todos los que eran *alguien* en el régimen se hacían las mismas preguntas: ¿Quién es Arnulfo Arroyo? ¿Quién puede ser tan ruin como para querer hacerle daño a Don Porfirio? Y la pregunta más angustiosa de todas: ¿qué es lo que van a hacer con ese hijo de la chingada?

Para la élite porfirista, Arnulfo Arroyo era una bestia salvaje y rabiosa que sólo deseaba derramar la más preciosa sangre que haya tenido México: la de Don Porfirio; y este ataque era un verdadero sacrilegio, una blasfemia, un anatema y su perpetrador no merecía menos que morir fulminado por un rayo flamígero y justiciero mandado por Dios en el acto, pero la bronca era que Dios no lo hizo y, además, Don Porfirio en persona pidió que Arroyo fuera sometido a la justicia. Y la verdad nada más por un pinche empujón estaba difícil mandarlo al paredón, o a trabajos forzados de por vida a las haciendas henequeneras de Yucatán; a lo mejor lo mandaban a barrer las calles de la ciudad, que era un pena común aplicable a los borrachines en esa época, también podían obligarlo a enrolarse en el ejército, por medio de la leva de briagos, otro castigo típico de la época porfirista si te agarraban tomado en la calle (ante eso lo que hoy nos hacen con el alcoholímetro es pura buena honda), pero el problema de enrolarlo era que el ejército porfirista jamás iba a admitir en sus filas a alguien que había agredido a Don Porfirio. Así que, aunque hubiera sido un castigo ejemplar para cualquier borracho como lo era Arroyo, era inviable. ¿Cómo castigarlo, como se quería o como se debía? Y lo peor era que las autoridades porfiristas no distinguían la diferencia entre estas dos posibilidades, y para acabarla de amolar la prensa y la "Opinión Publica" –cualquier cosa que es eso signifique– iban a estar pendientes del destino del vagote, porque en ese momento Arnulfo Arroyo era la nota. En este punto, la situación comenzó a volverse paranoica. ¿Y si Arroyo no había actuado sólo?, ¿si era simplemente el peón ejecutor de una siniestra conspiración para asesinar al presidente? Esta última era la pregunta que estaba creciendo como bola nieve y en pocas horas esa idea adquirió dimensiones colosales. ¿Qué hacer? Se preguntaba angustiado el inspector general de policía.

Al atardecer de ese mismo día, el inspector general de policía, Eduardo Velázquez, traslada al detenido a su oficina en Palacio Nacional, le pone una camisa de fuerza, lo deja

141

con dos custodios desarmados y se va a cenar a *La Concordia*. A las 12 de la noche entran al lugar donde estaba detenido Arroyo cinco tipos embozados y con zarapes gritando: ¡Viva Porfirio Díaz, mueran los anarquistas! Minutos antes de las doce, el policía Bartolo Franco, que estaba encargado de custodiar a Arroyo, había recibido la orden de retirarse por parte del jefe de inspección, Miguel Cabrera, por lo que este grupo encuentra solo y amarrado a Arnulfo Arroyo y lo deja como carne a la tártara de tantas puñaladas que le dan; los atacantes gritan, rompen vidrios, vitorean al "sabio gobierno" y maldicen al "anarquismo internacional", y como diría Jaime Maussan: "...Y nadie hace nada". Por fin, después de más de 20 minutos de ataque, Cabrera, el jefe en turno, que durante todo este tiempo fue urgido por el policía Bartolo Franco para que dé la alarma y se enfrente a los agresores, da tres tiros al aire; con esta señal se manda movilizar a todo el agrupamiento de policía en el Palacio Nacional para encontrar a los culpables que habían cometido un asesinato en la misma oficina del jefe de la policía. Como consecuencia, fueron aprehendidas todas las personas que estaban cercanas al Zócalo a esa hora, acusadas de asesinar a Arroyo. La explicación oficial fue que "el pueblo", indignado por el atentado, había entrado para matar al agresor del presidente y la policía, al ser rebasada por la multitud, no puedo evitar su ejecución. Por supuesto, nadie lo creyó.

Los asesinos de Arroyo habían sido policías disfrazados de paisanos y poco después de cometer el crimen regresaron con sus uniformes y se dispusieron a capturar a los "culpables". Entre los detenidos en el operativo estaban un señor de nombre Abel Torres, empleado de coches en Palacio, quien demostró que a esa hora salía de la chamba; otro era un turista español llamado Manuel Maya, que salió de su hotel para tomar un café en los portales del Zócalo y ahí, mientras tomaba su bebida, lo agarró un policía y lo acusó del asesinato de Arroyo. ¿Y qué otra cosa puede hacer un español tomando café con leche en la noche, sino reposando después de haber cometido un homicidio?, lógico. Santiago Ordóñez, comerciante del Zócalo, le preguntó a uno de los gendarmes qué era lo que pasaba y por eso también fue detenido y acusado del asesinato. En realidad, el problema era que como todos en México, según el gobierno, adoraban a Porfirio Díaz, pues todos eran sospechosos de haber asesinado al señor Arroyo.

143

Detengan las rotativas.

Los acontecimientos habían cambiado radicalmente y el 17 de septiembre de 1897 las 8 columnas de los periódicos que iban a salir publicando algo así como: *Horrible y criminal atentado contra el señor presidente*, salieron publicando algo así: *Matan al hombre que cometió el horrible y criminal atentado contra el señor presidente*. La muerte de Arroyo, lejos de zanjar el asunto, lo hizo crecer a dimensiones tan grandes que esto provocó la primera y única crisis de gabinete que tuvo Porfirio Díaz durante los 33 años que gobernó al país.

Para las 10 de la mañana del 17 de septiembre, el general Francisco Z. Mena, Ministro de Comunicaciones, le exigió al Ministro de Hacienda, Ives Limantour, que lo acompañara al castillo de Chapultepec a ver al presidente y solicitarle que atraparan a los verdaderos asesinos de Arroyo para demostrar a la "Opinión Pública" que el gobierno no tenía nada que ver en ese asqueroso y cobarde crimen. Esta petición terminó con una reunión de emergencia del gabinete, donde unos políticos daban por cierta la versión oficial del linchamiento popular y otros la de que todo eso era patraña para esconder un abuso atroz; la cosa se puso tan caliente que el Ministro Mena amenazó con renunciar si no se investigaba el asunto, y la discusión terminó con la destitución, esa misma tarde, del jefe de la policía Eduardo Velázquez, quién sería puesto en prisión mientras se investigaba el caso; en esa misma condición quedaron los otros oficiales de la policía implicados: Villavicencio y Cabrera.

Se inicia la investigación y los verdaderos asesinos son encontrados al día siguiente; y lo confiesan todo, resultaron ser policías a las órdenes de Velázquez, que fueron organizados por Villavicencio y Cabrera. Todos planearon la muerte de Arroyo mientras cenaban en *La Concordia*.

144

Investigando un poco sobre el pordiosero que le dio el zape al presidente, se supo que Arnulfo Arroyo era un hombre de 50 años, que había intentado estudiar leyes y que también había intentando estudiar en el colegio militar en su juventud, pero por sus continuas borracheras había sido expulsado de todas las escuelas a las que se inscribía. Se supo también que fue compañero en el colegio militar de Eduardo Velázquez y que éste lo ocupaba como intendente y velador de una *casa chica* que tenía con otros políticos para meter a *sus movidas*. Que el cuchillo y la pistola que empeñó Arroyo habían sido proporcionados por él. Este dato, al hacerse público, puso al jefe de la policía en la picota y la condena absoluta de toda la sociedad porfirista lo convirtió en el jefe de la conspiración para asesinar al presidente. Arnulfo Arroyo tenía la biografía de todos los teporochos, una vida en la que todo lo que intentaba al final siempre se le cebaba por su manera de beber; por eso ya en los últimos años ya no hacía nada más que pasársela chupando, pues ponerse briago era lo único que podía garantizar que sí le iba a salir rebien. En los últimos años su alcoholismo lo había llevado a una situación lamentable y, además, ya se la pasaba permanentemente borracho, de seguro para evitar la cruda. Nombre es destino y en sus iniciales podemos ver que Arnulfo Arroyo era definitivamente "doble A".

Fue entonces que comenzaron en serio las especulaciones. ¿Que si Arroyo era un desequilibrado mental o un frío asesino a sueldo…? ¿Y si era un desequilibrado mental alguien se había aprovechado para echarlo a andar, induciéndolo para que asesinara a Porfirio Díaz? ¿Era Velázquez el líder del *compló* o había arriba de él todavía un gran grupo de conspiradores? Una semana después del "atontado" de Arroyo, Velázquez se suicida de un balazo. Una pequeña pistola Remington es introducida a su celda dentro de un pambazo con lechuga y crema. Al parecer, en esa época

145

cuando las señoras te preguntaban si querías el pambazo "con todo" esto incluía armas de fuego. Los guardias de la prisión de Belén hallan junto al cadáver un recado póstumo que decía lo siguiente:

"He cometido un delito que será la mancha de toda mi vida. Obré sugestionado por todos aquellos a quienes ante usted he desenmascarado sin piedad y sin remordimientos. Cumplida mi sentencia, me queda la expiación del crimen. No es un criminal ni un desequilibrado el que muere; es un hombre y un patriota, un fanático por el gobierno y por el general Porfirio Díaz".

Velázquez dirige la nota al presidente, a quien intentó agradar con la eliminación de Arnulfo Arroyo, pero en lugar de ganar su reconocimiento, lo único que logró fue su desprecio. Por supuesto, luego de esta muerte surgieron nuevas dudas. ¿Quién sentenció a Velázquez? ¿Cómo pudo pasar un arma a su celda? ¿Quiénes son aquellos a los que dice haber desenmascarado? ¿Quién hizo el pambazo? ¿Cuánto cuesta si uno pide el pambazo con pistola? Todo quedó sin respuesta con la muerte del ex inspector general de la policía. Pero el hecho de que su vida terminara de esa manera confirmó para muchos que efectivamente existía un turbio *compló* para matar al presidente, en donde Velázquez estuvo implicado. Aunque, por supuesto, el detalle de que el monstruoso atentado haya consistido en un simple manotazo seguía siendo algo que desbarataba regacho esta teoría. A la afirmación de que Arnulfo Arroyo era un sicario a las órdenes de Velázquez enviado para matar a Díaz se oponían las preguntas: ¿Y por qué cuando lo tuvo a su merced sólo le dio un empujón? ¿Iba a fallar el jefe de la policía de la dictadura un atentado contra del dictador sabiendo que si no triunfaba en su intento esto le costaría la vida? Arnulfo Arroyo tuvo efectivamente un puñal y una pistola proporcionados por el inspector general de la policía, entonces, ¿por qué las empeñó justo un día antes de atacar al presidente? ¿Los conspiradores necesitaban fondos para huir al extranjero en caso de que el atentado fallara?

De cualquier manera, estas dudas razonables no sirvieron de nada; los mexicanos somos "conspiranóicos", nos emocionan las preguntas y nos aburren las respuestas. Las versiones donde hay un oscuro y siniestro plan orquestado por un grupo de traidores nos encantan, por eso jamás les reclamamos realmente a los jugadores de la selección nacional por sus pobres resultados en los mundiales de futbol. En el fondo, sabemos que el TRI es víctima de una malvada conspiración judeo-masónica-comunista orquestada por el capitalismo mundial y el Ku Klux Klan porque a la selección de Trinidad y Tobago no le conviene que pasemos a cuartos de final en la copa del mundo.

147

Velázquez se suicidó diciendo que era un fanático del gobierno y del presidente Porfirio Díaz, cosa que efectivamente era. Nadie llega a jefe de la policía en una dictadura si no es un fanático completamente adicto al régimen. Arroyo fue asesinado sin que diera tiempo de hacerle un interrogatorio formal y lo que dijo a sus custodios y a los reporteros que medio lo entrevistaron fueron vaguedades que dan pie a formular cualquier conjetura; eso sí, jamás habló mal del régimen ni gritó una consigna o dijo algo que hiciera pensar que detrás de su ataque había una motivación política.

Un dato curioso es que le preguntó a uno de los custodios la hora, el custodio le respondió y a su vez le preguntó: "¿Y para que quieres saber tú la hora?". Arnulfo suspiró y le dijo: "Porque mañana, como a esta hora, ya voy a saber si me fusilan o me dejan libre".[2] Es decir, Arnulfo estaba consciente de que por lo que hizo, según se viera, o ameritaba que lo mataran o que no le hicieran absolutamente nada. Borracho, borracho, pero no pendejo.

Todas las dudas y preguntas sobre lo que ocurrió realmente, enterradas con Velázquez y con Arroyo, se generaron por los hechos registrados el 16 de septiembre 1897 y para el 22 de ese mismo mes habían muerto todos los que podían contestarlas. La "Opinión Pública" siguió recalentando la versión del *compló* por un tiempo, por cierto muy corto, pues a fin de cuentas como el atentado no había pasado de un coscorrón, el tema no daba para estirar más el chicle sin hacer el ridículo.

148

Finalmente, en 1901 uno de los hijos de Arnulfo Arroyo publica un folleto explicando lo sucedido. Narra que en una cantina llamada *La Campana*, ubicada en la calle de Hombres Ilustres esquina con el callejón 2 de Abril, varios hombres habían ido a curarse la borrachera por los festejos del 15 de septiembre, entre ellos se encontraba Arnulfo Arroyo. Gracias al oportuno empeño de un puñal y una pistola que llevaba Arroyo, *la curación* tiene suficientes fondos y se convierte en una nueva borrachera; ya con sus copas, los briagotes empiezan a discutir sobre el general Porfirio Díaz y es en ese momento que bien pedo Arnulfo Arroyo grita que si a él se le da la gana le pega una bofetada al dictador. Sus amigos no le creen, Arnulfo se envalentona y les dice que él sí es capaz de darle una cachetada a Díaz, y los borrachos cruzan una apuesta. Al día siguiente, en la mañana, Arnulfo va a la Alameda y espera a que se acerque la comitiva donde viene el general Porfirio Díaz…

Por supuesto que esta versión jamás ha complacido a la "Opinión Pública", pero es la única consistente de todas las que han salido. Por otro lado, hay que decir que lamentablemente, a la vista de nuestro tiempo, este folleto no reivindicó a Arroyo, pues mientras pudo haber pasado a la historia oficial como un mártir prerrevolucionario que dio su vida para acabar con la dictadura, quedó nomás como un borrachote machín, irresponsable y temerario (como son todos los pedotes y como fueron casi todos los héroes revolucionarios), pero en 1901 era mucho mejor ser el hijo de un alcohólico que de un anarquista.

149

1 Agustín Sánchez, *4 atentados presidenciales*, Editorial Planeta. p. 24.

2 *Ibíd.*, p. 27.

LA CIUDADELA.

En ausencia de órdenes, busca algo y mátalo.

**Erwin Rommel, general alemán
de la Segunda Guerra Mundial.**

Ciro, el rey de los persas, era famoso por recordar el nombre de cada uno de sus soldados. Claro que lo que nunca nos dicen los historiadores es que a todos los integrantes de su ejército les llamaba "Güey". En los detalles se esconde el diablo, como dice el refrán, y la siguiente es la historia de uno de estos detalles satánicos.

Dentro de la reacción en cadena de pendejadas que fueron todos los hechos que hoy conocemos como *La decena trágica,* hay una que me gusta más que las otras porque es un claro ejemplo de como siempre es posible violar cualquier disposición oficial cumpliéndola, todo es cuestión de encontrar el modo.

Luis Urquizo fue el único soldado maderista que ingresó al ejército regular después de la Revolución de 1910; entró al batallón de Guardias Presidenciales, según sus propias palabras, "por lo bonito del uniforme", y consiguió su ingreso a este grupo de élite del ejército por una orden del presidente Madero. Ya en esta unidad, también fue el único soldado regular que le era leal al presidente Madero.

Luis Urquizo fue testigo y protagonista de *La decena trágica* y dejó escrito todo lo que vivió en ese terrible febrero de 1913 como subteniente de Guardias Presidenciales.

Luego de la frustrada toma del Palacio Nacional por parte de los alzados, en la que murió el líder del movimiento golpista, general Bernardo Reyes, el resto de los sublevados se refugia en La Ciudadela y nombra como sustituto para dirigir el alzamiento al general Félix Díaz, sobrino de Porfirio Díaz, y es en este cuartel de La Ciudadela que el nuevo líder rebelde comienza a dar instrucciones a todas las fuerzas armadas de país para que se sumen a su movimiento para sacar del poder al presidente Madero, debido a que éste sufre de sus facultades mentales. (En un principio, la idea de los golpistas era meter a Francisco Madero y a Pino Suárez en un manicomio y después matarlos, pero como les salió al revés, así como los dejaron ya no pudieron ingresarlos en ninguna clínica de salud mental.)

La Ciudadela es un edificio de un solo piso ubicado en lo que es hoy la avenida Balderas y la avenida Chapultepec, y en febrero de 1913 se convirtió en el bastión de la asonada antimaderista. Y aunque militarmente La Ciudadela era un punto muy fácil de tomar, comenzó a volverse inexpugnable, debido a que el general Huerta, a cargo de las tropas del gobierno, organizó todos los ataques a esta plaza para que los sediciosos siempre ganaran y así fueran acabando con lo que quedaba de las fuerzas leales a Madero. Huerta también permitió siempre el paso de unidades que aparentemente

151

iban a atacar a los golpistas, pero que en realidad sólo llegaban para unírseles, como fue el caso de los batallones de
policía de la Ciudad de México y de diversas unidades del
ejército. Así las cosas, en La Ciudadela se empiezan a hacer
fuertes los conspiradores y a medida que pasa el tiempo van
recibiendo más y más apoyo, van obteniendo más y más
victorias cada que los atacan. La situación estaba más o menos empatada. Los rebeldes no salían de su fortaleza para
tomar la capital, pero tampoco el gobierno podía tomar
esta posición; sin embargo, el maderismo contaba con una
ventaja estratégica decisiva. ¡El batallón de Guardias Presidenciales estaba justo en la cuadra de atrás de La Ciudadela!
Sí, un batallón completo de soldados de élite, cuya única
misión era la de proteger al presidente, se encontraba en
la retaguardia del enemigo y a tan corta distancia que sólo
tenían que atravesar la calle para atacarlos; además, no había
que mandarles ningún tipo de apoyo o vitualla, ya que con-
taban con el mejor armamento, pertrechos y gran cantidad
de provisiones en su propio cuartel. ¿Mejor? ¡Imposible! Un
ataque de esta unidad en los primeros momentos de que
los alzados tomaron este edificio habría cambiado el curso
de la historia. Pero el hubiera no existe, si no otra cosa hubiera pasado y yo no estaría contado esto.

152

Esta era la ubicación del cuartel de Guardias Presidenciales en febrero de 1913.

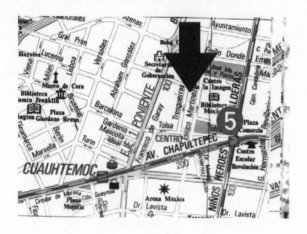

El cuartel estaba en lo que hoy son las calles de Enrico Martínez y Tolsá, justo atrás de La Ciudadela, que en el mapa de la Guía Roji de la Ciudad de México del año 2010 aparece como lo que es ahora la *Biblioteca México* y el *Centro de la Imagen*. Lo que fue el cuartel de Guardias Presidenciales es ahora la Escuela Secundaria Técnica No. 6, *Sor Juana Inés de la Cruz*, cuya entrada podemos ver en la siguiente foto.

153

ANTONIO GARCI

Así que a los soldados de Guardias Presidenciales sólo les bastaba cruzar la puta calle para atacar a los insurrectos. Félix Díaz estaba consciente de este peligro y con el fin de quitarse esta amenaza de su retaguardia mandó un ultimátum al cuartel de esta unidad, instándolos a que se rindieran o a que se sumaran al movimiento golpista; de lo contrario, serían atacados. Lo que ocurrió después lo cuenta mucho mejor Luis Urquizo en su libro *La Ciudadela quedó atrás*.

> …Un oficial de los rebeldes se presentó en nuestro cuartel con la orden de sus jefes para que el comandante de nuestra fuerza fuera a la Ciudadela.
> El teniente Ruiz de Chávez y acompañado del teniente Enrique García fueron a conferenciar. Larga fue la plática y al cabo regresaron.
> "El teniente Ruiz de Chávez nos dijo que Félix Díaz, en presencia de Mondragón y de otros jefes rebeldes y de connotados civiles, lo habían conminado a que se rindieran los hombres que él mandaba, y que él se había opuesto terminantemente y que ante la insistencia había argüido con Félix Díaz –sabiéndolo sobrino del general Porfirio Díaz– lo indebido que sería que la Guardia Presidencial, que era la misma exactamente que había servido a Don Porfirio hasta lo último, escoltándolo hasta Veracruz cuando marchó al destierro y que en ese momento servía con lealtad al presidente Madero, fuera ahora a traicionar sus gloriosos antecedentes, convirtiéndose en facción rebelde o rindiéndose al enemigo…

Félix Díaz meditó lo que le respondió el comandante de Guardias Presidenciales y le dijo: "Tiene usted mucha razón, siga cumpliendo con su deber y lo felicito por su conducta". Luego mandó levantar un acta donde se hacía constar que el batallón de Guardias Presidenciales no se rendía ni acep-

154

taba unirse a la rebelión. Esta acta que se levantó en La Ciudadela fue la que llevó consigo el teniente Ruiz de Chávez para dar a conocer a sus hombres los resultados de la conferencia con el enemigo. El oficial atravesó la calle de regreso y reunió a sus hombres en formación en el patio del cuartel, y esto es lo que Luis Urquizo nos cuenta que les dijo.

> …Dirigió unas palabras de felicitación al personal por su comportamiento, haciéndoles saber que era él también conducto de la felicitación que les enviaba el Primer Magistrado de la Nación, el Secretario de Guerra y Marina y el Jefe del Estado Mayor Presidencial. En seguida, leyó el acta levantada que contenía los puntos que antes había expuesto, pero además otros conceptos: Que el batallón reconocía la bondad de la causa de la rebelión, pero que fiel a sus principios no atacaría a los sublevados, sino que permaneceríamos neutrales.

155

¡NEUTRALES!, y con esta ingeniosa exégesis de la misión de esta unidad militar se logró mantener limpio el expediente en la hoja de servicios de Guardias Presidenciales.

LA BANDA DEL AUTOMÓVIL GRIS.
(QUE HOY NO CIRCULA)

Vergüenza es robar… y que te cachen.

Refrán mexicano.

Primero debo decir que esta historia es de las pocas de este libro que me da gusto contar, pues lleva una moraleja esperanzadora y de su relato se despende que después de esto que pasó en México la policía ya jamás podrá llegar a ser más corrupta.

En México, la diferencia que separa a los policías y a los ladrones siempre ha sido una línea muy delgada hecha de matices y sutilezas; sin embargo, en el caso de la banda del automóvil gris esa delgada línea ni siquiera existía, ya que oficialmente todos eran policías y se habían constituido como un agrupamiento formal policiaco destinado a robar.

Hoy que tenemos a los zetas, a los aztecas, a la familia michoacana, a los Petricholet, a los del cartel del Golfo, los del cartel de Sinaloa, los del cartel de Tijuana, los del cartel del Centro-Sur y hasta los del cartel de toros…, la percepción que nos generan los integrantes de la banda del automóvil gris es la de unos aventureros románticos. Uno ve las fotos de estos delincuentes y dice: "¡Ay, qué tiernos!"; igual que como les pasó a los piratas del caribe del siglo XVII, su imagen en nuestros días es esplendorosa. Sin embargo, esta *naíf* banda fue la que dio el golpe más espectacular que un grupo criminal ha dado contra el Estado mexicano y, aunque parezca increíble, este robo contra el gobierno aún no ha sido superado, es decir, por un banda de delincuentes, de esos que llegan frente a una cajera embozados, sacan sus pistolas y dicen: "El dinero o la vida", porque los políticos desde luego han robado mucho más, pero ellos no llegan embozados ni sacando pistolas, sino que llegan frente a una cajera en deslumbrantes trajes de corte italiano, sacan los números de sus cuentas bancarias en Suiza y dicen: "El dinero, mi vida".

157

Los arrancones del automóvil gris.

Este grupo criminal se conoció primero con el nombre de "la banda de los cateadores", pues fingiendo hacer cateos en las casas en nombre de la autoridad era como entraban a robar. Esta pandilla estaba integrada por un español llamado

Higinio Granda, que era el Jefe 7, Santiago Risco, Ángel Fernández y Francisco Oviedo, todos ellos fugados de la cárcel de Belén, es decir, puras buenas personas. El 9 de febrero de 1913, aprovechando la confusión de la decena trágica y el golpe militar al presidente Madero, la banda dio también su golpe, aparentando ser un grupo del gobierno que cateaba las casas en busca de armas de los alzados. (En cada programa gubernamental hay un nicho de mercado para la delincuencia, la "mataviejitas" robaba a sus víctimas diciendo que les venía a hacer una encuesta para darles apoyos del gobierno capitalino.) Los rufianes establecieron su centro de operaciones en un antro llamado *El Grano de Oro* y la banda continuó "trabajando", pero la verdad no lograban volver a dar otro golpe espectacular como el que se les presentó durante la decena trágica; sin embargo, la época para llenarse a tope los bolsillos estaba por llegar.

158

A finales de 1914 entra en la ciudad de México Venustiano Carranza, jefe de la revolución del Plan de Guadalupe, mientras Victoriano Huerta sale por patas al exilio; luego de confiscar varias lujosas residencias en la colonia Juárez para el jefe de la revolución, su Estado Mayor, su gabinete y sus asesores, se instala la administración revolucionaria en la capital e intentan organizar un gobierno nacional con Carranza como presidente —desde luego—, pero a Don Venus no lo pelan el resto de los caudillos revolucionarios y propone hacer una convención donde todas las fuerzas revolucionarias lleguen a un acuerdo. Carranza pensó que la convención lo legitimaría, pero terminó desconociéndolo como presidente, lo cesó de su cargo y nombró a Eulalio Gutiérrez Ortiz como presidente provisional. (Al que por cierto tampoco pelaron ninguna de las fuerzas revolucionarias que lo impusieron.)

Aquí podemos ver a Don Eulalio Gutiérrez, uno más de los muchos presidentes "legítimos" que ha tenido México, como Gómez Pedraza, Zoloaga, José María Iglesias, El Peje, etcétera. Don Eulalio desertó de su cargo y terminó huyendo en secreto a Estados Unido en 1915.

Carranza, en lugar de acatar las decisiones de la junta, la declaró en rebelión, regresó a la ciudad de México y sacó a toda su gente. En enero de 1915 partió a Veracruz a formar su gobierno.

Es entonces cuando entran Villa y Zapata a la capital y se toman esa famosa foto con Villa en la silla presidencial cotorreando junto a Zapata; ambos caudillos, antes de entrar en la ciudad de México, habían firmado el plan de Xochimilco, cuyo punto principal era matar a Carranza y acabar con sus fuerzas, y desde luego respetar los acuerdos emanados de la convención de Aguascalientes, que básicamente eran esos mismos.

Resulta curioso que en esa foto no esté sentado en la silla presidencial Eulalio Gutiérrez, el presidente electo en la Convención de Aguascalientes, como debería de ser, es más, ni siquiera aparece haciendo bola en la foto; la razón se debe a que Villa y Zapata mandaron a su presidente a que les trajera unos cafecitos y de paso le diera un trapazo a los caballos, que tenían mucho polvo.

También es la época de la famosa foto de los zapatistas tomando su café en el *Sanborn's,* pues parece que ya desde entonces éste era el único baño público gratuito y limpio con tienda y restaurante. Por cierto, es curioso que en esa época el *Sanborn's* no tenía su clásica vajilla azul de dibujos chinescos o tal vez por como vieron el aspecto de los zapatistas no les quisieron servir en la vajilla fina. Esta es otra de las dudas de la revolución mexicana que jamás tendrán una respuesta aceptable.

Y desde luego también es la época del mayor caos en la capital, ocupada por distintas fuerzas revolucionarias; es la época del *río revuelto* que dio las mejores ganancias a la banda del automóvil gris.

La banda volvió a hacer asaltos a casas con el pretexto de realizar cateos en busca de armas de los enemigos del gobierno (el que en ese momento estuviera) y el 7 de abril de 1915 asaltaron la casa de Luis Toranza. Higinio Granda, el jefe de la banda, se había colado como oficial del ejército zapatista a las órdenes del general Amador Salazar, comandante a cargo de la plaza de la ciudad de México durante el tiempo que duró el gobierno de la Convención de Aguascalientes.

La forma de operar de este grupo criminal era que, amparados por altos funcionarios, lograban obtener papel oficial para hacer la inspección, luego redactaban supuestas órdenes de cateo y obtenían la entrada a los domicilios asaltados.

El 10 de junio de 1915 secuestraron a la joven Alicia Thomas, hija de un francés, y esto provocó un escándalo diplomático. Sin embargo, como el embajador francés no tenía a ningún gobierno al cual entregarle su enérgica protesta, se la tuvo que llevar de regreso a su embajada.

El 22 de julio regresaron los carrancistas victoriosos a ocupar la ciudad de México y el gobierno de la capital fue

161

encargado al general Pablo Gómez, por lo que la banda se desintegró temporalmente, ¿pero qué creen? ¡Volvieron a conseguir papeles oficiales del departamento de policía de la ciudad de México!, y continuaron haciendo sus famosos cateos, nada más que ahora con el papel membretado del gobierno carrancista.

Gómez nombró al general Francisco P. Mariel comandante militar de la plaza y al frente de la Inspección General de Policía quedó Eulogio Hernández, como jefe de la policía reservada (la secreta, pues) Enrique García Rodiles y al frente del Detall de esta corporación quedó nada menos que Francisco Oviedo, miembro directo de la banda, ¿lo quieres así o más burdo el asunto? Oviedo metió a la corporación a los demás miembros de la pandilla y reanudaron las operaciones de cateo, pero ahora alquilaron un automóvil Fiat 1914 de color gris propiedad de Eusebio Celada, para escapar después de dar sus golpes. Así que estos malhechores andaban prácticamente en un coche del año y si pensamos que en 1915 los automóviles que había registrados en la ciudad de México eran sólo 14, y era todo un acontecimiento ver pasar uno por la calle, con que la policía hubiera detenido al único coche gris Fiat 1914 que existía hubieran podido detener a estos delincuentes, pero por alguna extraña razón esto no sucedió, a lo mejor porque era demasiado fácil.

El 19 de agosto de 1915 roban la casa del ingeniero Gabriel Mancera con el pretexto de catear el inmueble. (Sí, el del eje vial que cruza la colonia Del Valle. Siempre que paso por ahí me da cierta tonta felicidad pensar que voy por una calle que lleva el nombre de un mexicano, como yo, al que lo han asaltado.) Mancera era un rico minero hidalguense que explotaba varios fundos en Mineral del Chico, era además propietario de empresas textiles en su natal Tulancingo y dueño de los ferrocarriles Hidalgo y del Noreste, ex presidente municipal de Pachuca y varias veces diputado local y federal.

162

El robo a su domicilio ascendió a la fabulosa cantidad de 434 mil 960 de aquellos pesos; de este botín, se dice, obtuvieron los ladrones un bellísimo collar de esmeraldas que más tarde apareció en el cuello de María Conesa, "La Gatita Blanca", afamada tiple del Teatro Principal, obsequiado, según parece, por su admirador, el general Pablo González, quien quedó así enlazado a los hechos delictivos de la banda, sin que llegara a probarse nada. Claro, porque quizá ese collar llegó a manos del general Pablo Gómez lanzado casualmente por una tolvanera o como regalo de alguno de los miembros de la banda que era admirador de este general.

Siguieron varios asaltos por el estilo, y ante la presión de la prensa, el gobernador de la ciudad de México, César López de Lara, pide al general Pablo Gómez que cesen los cateos, con el fin de que los delincuentes ya no encuentren pretexto para asaltar, es decir, que era más viable suspender una disposición del gobierno que atrapar a los delincuentes. Pablo Gómez le contesta que esa medida (la de quitar los cateos) no era necesaria, y ante los reproches de la opinión pública al gobierno que no hacía nada para detener la ola de asaltos en la capital, el ideólogo del grupo constitucionalista, el señor Luis Cabrera, aclaró a los ciudadanos que no se podía hacer nada, porque en ese momento se estaba viviendo un periodo "preconstitucional", pero que cuando ya tuviéramos una nueva constitución los delincuentes iban a entregarse a la justicia solitos, porque así lo iba a dictar la ley y váyanse… pa sus casas.

Todos los asaltos de la banda del automóvil gris fueron cuantiosos y espectaculares, pues saqueaban las casas de las personas más ricas de la capital en una época que la gente guardaba todo lo que tenía de valor en sus domicilios, pero el golpe más sensacional que dio la banda tanto por el tamaño y valor de lo que robaron como por el lugar en donde lo hicieron sigue pareciendo imposible hasta nuestros días.

El robo a las arcas de la Tesorería Nacional.

Éste es tal vez el robo más grande que se ha hecho en México por una banda de asaltantes y que, sin embargo, no les reportó ni un solo centavo a quienes lo cometieron, ya que fue un robo por encargo.

En 1915, la Tesorería Nacional era lo que hoy conocemos como el SAT, es decir, la institución encargada de recaudar los impuestos, y además era el lugar donde se disponía del dinero para los sueldos de todos los empleados federales, desde el salario del último intendente de una lejana y jodida oficina postal en los territorios de California hasta el del presidente de la república.

Sólo de pensar que el día de hoy una banda robara el salario de una quincena de todos los burócratas del país, o al menos de los que están en la capital, me parece algo irrealizable, bueno, pues eso fue lo que hicieron los integrantes de la banda del automóvil gris, por lo que deberían de estar en el libro de *récords* con el asalto más grande del mundo. Lo que hicieron fue increíble, pero la razón por la que realizaron este robo es todavía más increíble.

Nadie sabe para quién trabaja.

Este asalto fue un plan organizado por un misterioso personaje y se lo hizo llegar por carta a Higinio Granda, jefe de la banda. Los miembros del *gang* debían entrar a la tesorería,

¡ubicada dentro del PALACIO NACIONAL!, y tomar TODO el dinero. Las bolsas del botín debían ser entregadas a tres limosneros que estarían aguardando en el atrio de la Catedral con la contraseña "Gatita Blanca"… ¡Órale!

Palacio Nacional siempre ha sido un lugar lleno de soldados y en esa época inclusive tenía hasta un cuartel adentro. La parte donde se ubicaba la Tesorería Nacional estaba en un pasillo entre la entrada principal y lo que hoy es el museo de Benito Juárez, por lo que los delincuentes tenían que meterse bastante adentro de la fortaleza del Palacio y realizar el asalto sin que nadie diera la alarma. En ese lugar lleno de cientos de empleados del gobierno, contando además con que tuvieran la increíble suerte de no toparse con los soldados y policías destinados a este edificio, y en el remoto caso de que el robo tuviera éxito, sabían que se les echaría encima todo el gobierno de Carranza, pues habían asaltado nada menos que las arcas de la nación en el Palacio Nacional y dejado a toda la burocracia sin su quincena. En definitiva, era un plan absurdo y completamente suicida, pero… esa carta anónima que le llegó a Granda le advertía que todos los miembros de la banda acabarían fusilados por los delitos cometidos y daba nombre y antecedentes de cada uno de los integrantes del grupo, direcciones de cada uno y del lugar donde se reunían a planear sus asaltos, *El Grano de Oro*. Relataba también los antecedentes criminales desde su fuga de la cárcel de Belén y hacía un recuento de todos sus asaltos en el automóvil, junto con un minucioso inventario de lo

165

robado. Ya sólo faltó poner que sabía cómo les gustaba que les hicieran sus huevitos por la mañana; pero no era necesario, pues después de leer eso los miembros de la banda sabían que sus huevitos se los iban a hacer estrellados con la culata de los alumnos de la escuela de tiro de San Lázaro la mañana que los fusilaran. Pero la carta también les daba garantías, pues esta acción que parecía imposible se facilitaba muchísimo debido a que todo estaba preparado. A las 6:55 p.m., el tesorero Nicéforo Zambrano abandonaba como todos los días su oficina y ellos encontrarían los candados de la bóveda de la tesorería sólo sobrepuestos, los soldados de la guardia pondrían sus cabezas para que los golpearan y así poder alegar que fueron atacados por sorpresa, incluso ellos se podían hacer los golpes.

Al ver que les daban tantas facilidades y que no tenían alternativa, los miembros de la banda decidieron dar el golpe en los primeros días de agosto de 1915 y resultó que todo salió tal y como se los habían indicado. Jamás se supo a cuánto ascendió el hurto, pero suponemos que fue muchísimo dinero. Lo único con lo que podemos hacernos una idea del botín fue que ese mes de agosto los burócratas no cobraron a consecuencia del robo. Los sacos que entregaron los delincuentes a los supuestos mendigos tenían dinero en billetes, monedas de oro y plata y alhajas que contribuyentes dejaban en prenda para garantizar el pago de sus impuestos, con lo que en esos tiempos se podía decir que Hacienda funcionaba también como el Monte de Piedad.

Por supuesto, este asalto hizo enfurecer al presidente Carranza, que ordenó a Pablo Gómez el arresto inmediato de toda la banda, y como siempre pasa en México cuando le pegan a un influyente, entonces sí se moviliza a toda la policía. Recuerdo que cuando llegó el ingeniero Cuauhtémoc Cárdenas al gobierno de la capital le robaron la camioneta a su mamá. Se movilizaron miles de policías con todo y helicópteros y en una hora la camioneta fue recuperada, igualito que como le hacen para recuperar los automóviles cuando se los roban a cualquier ciudadano, y no se piense que digo esto por resentimiento; por el contrario, de verdad me da gusto que por lo menos sí haya gente en la Ciudad de México a la que la policía sí le ayuda cuando son víctimas de la delincuencia, pues eso quiere decir que no todo está tan mal. Yo por lo mientras ya fui a la plaza de Santo Domingo para que me falsificaran una acta que dice que soy la mamá de Marcelo Ebrard para que me apoyen en caso de que me asalten, pero felizmente todavía no he tenido que usar ese documento.

En las investigaciones policíacas que hicieron entre agosto y diciembre de 1915 fueron capturados casi todos los miembros de la banda, menos los jefes, Granda y Oviedo, que estaban oficialmente prófugos. El 18 de diciembre se abrió un juicio sumario que declaró que los hombres del grupo serían fusilados al día siguiente. Las mujeres serían condenadas a 10 años de prisión.

Ya frente al paredón llegó una orden dada por el mismísimo general Pablo Gómez para que no fueran fusilados Luis Lara, José Fernández, Fernando Quintero y Rafael Mercadante. La razón oficial: serían interrogados antes porque aún quedaban dudas en las averiguaciones.

La ejecución fue realizada bajo las órdenes del general P. Mariel, fue filmada tanto por Enrique Rosas como por Jesús Hermenegildo Abitia y fotografiada por miembros del ejército y una nube de periodistas que revoloteaba alrededor de esa nota, entre ellos el fotógrafo Agustín Víctor Casasola. El general Francisco P. Mariel fue un reconocido revolucionario que encabezó, en unión con su hermano Nicolás, el primer levantamiento en el estado de Hidalgo a favor de Don Francisco I. Madero en su natal Huejutla. Más tarde, incorporado al Ejército de Oriente, entró en la capital de la Re-

167

pública para esperar a Venustiano Carranza, debido a lo cual el primer jefe lo nombró Comandante Militar de la Ciudad de México y posteriormente fue nombrado jefe de la policía de la Ciudad de México. Bajo su administración fue que sucedieron los atracos de la banda del automóvil gris y estoy seguro de que jamás detuvo a estos delincuentes porque su policía nunca vio salir de las casas asaltadas a un automóvil gris, sino blanco oscuro.

168

Dramática imagen captada cuando el pelotón de fusilamiento, comandado por el general Francisco P. Mariel (sí, el que era jefe de todos ellos en la policía) hacía fuego sobre los integrantes de la banda del automóvil gris a los que no se les aplazó el fusilamiento. Enrique Rosas filmó este hecho y después usó las imágenes para hacer su famosa película *La banda del automóvil gris* en 1919, con lo que se volvió además uno de los precursores del "cinema verité" al usar documentos reales para sus películas de ficción.

Granda finalmente fue capturado en la estación de Dos Ríos, en el Estado de México, y Oviedo se entregó voluntariamente en un gesto de galantería para poder estar con su amante, Ernestina Ortega, que había sido capturada como integrante de la banda. La razón por la que los líderes de la banda no fueros detenidos al día siguiente del asalto a las arcas nacionales, como todos los demás miembros del *gang*, fue que una carta del mismo personaje anónimo los citó ese día para verlos en la catedral de Toluca. Este personaje jamás se presentó a la cita, pero al salir de la Ciudad de México, sin que ellos lo sospecharan, se salvaron de su detención inmediata. Cha cha cha chaaaaaan…

A partir de ese momento, comenzaron a ocurrir extrañas muertes entre todos los que quedaban de la banda. Higinio Granda murió convenientemente de tuberculosis en la cárcel al poco tiempo de ser capturado.

169

El 25 de diciembre de 1918, Rafael Mercadente se suicidó en su celda. El 28 de diciembre, nada más 3 días después, es asesinado a puñaladas Francisco Oviedo por otro preso, *el negro* David Brawn. El 6 de enero de 1919, sólo 10 días después de lo de Oviedo, como regalo de reyes, José Fernández puede fugarse de la penitenciaría, pero su cuerpo es encontrado días más tarde en las aguas del río Consulado. El 27 de abril de 1920, Luis Lara, el último sobreviviente de la banda, fue conducido a una diligencia a la cárcel de Belén y en el trayecto "sus amigos" lo liberaron por la fuerza, según el reporte de la policía; luego, por alguna extraña razón, estos "amigos" se disgustaron con Luis Lara y lo asesinaron; su cadáver fue encontrado dos semanas después cubierto de lodo en un basurero. Lo que jamás se pudo esclarecer es quién estuvo detrás del robo perpetrado a la Tesorería Nacional, aunque las especulaciones iban desde el propio jefe de la policía Francisco P. Mariel hasta el mismo presidente de la república Venustiano Carranza.

Durante una de las diligencias, Oviedo señaló al jefe militar de la plaza de la Ciudad de México, el general Merigo, como el autor intelectual del robo cometido a las arcas nacionales, y como era público que este militar tenía amoríos con María Conesa, la tiple del Teatro Principal, mejor conocida como *La Gatita Blanca* (bueno, no más como todos los generales revolucionarios) y ésta fue la contraseña para dejar el botín del robo, se usó esta "conexión" para realizar el único juicio formal para esclarecer quién había organizado el robo en Palacio Nacional. El juez segundo de instrucción, Enrique Cervantes Olvera, le hizo un proceso al general Merigo y resultó absuelto por falta de pruebas, ni siquiera se le pudo comprobar que hubiera andado con *La Gatita Blanca*, vaya, ni un arañazo en la espalda tenía de *La Gatita*.

170

Muy maliciosamente quiero hacer notar una fea coincidencia. A partir de 1919 hubo una suerte de *urgencia* para terminar con la vida de todos los que quedaban de la banda. Fue el año del destape para el siguiente periodo presidencial y Carranza, al oponerse a la candidatura de Obregón, provocó la ruptura del grupo constitucionalista que generó otra guerra civil, esto lo hizo abandonar la capital para intentar establecer su gobierno "legítimo" en Veracruz y en el trayec-

Escena de la película *La banda del automóvil gris,* hecha por Enrique Rosas en 1919, donde por cierto el inspector de policía Juan Manuel Cabrera, a quien le tocó en la vida real investigar el caso, se interpretó a sí mismo en esta película e hizo el papel del *inspector Cabrera.*

to se lo echaron en Tlaxcalantongo, Puebla, el 20 de r
de 1920, es decir, apenas 23 días después de que "libera
sus "amigos" a Luis Lara, el único que quedaba de la pa
lla, una espantosa casualidad que hace suponer que e
administración carrancista alguien trataba que todo el as
to de la banda del automóvil gris quedara completame
enterrado, en el sentido literal de la palabra, antes que
fuerzas de Obregón, ahora hostiles a Carranza, entraran
la Ciudad de México y pudieran empezar a hacer sus p
pias averiguaciones. Desde luego lo que digo es nada m
pura mala leche mía y reconozco que esto no tiene ning
sustento, ya que lo más probable es que Obregón no hubi
ra hecho absolutamente nada por aclarar quién organizó
robo de la tesorería.

La banda del automóvil gris se convirtió muy pronto e
toda una leyenda del crimen en México y su historia fue lle
vada a la pantalla grande. Hoy está catalogada como una de
las mejores películas mexicanas de todos los tiempos y es
que era película de cine mudo, con lo cual se confirma la
teoría de mi esposa Citalli de que los actores mexicanos son
buenísimos hasta que hablan.

LAS OCHO COLUMNAS DEL APOCALIPSIS.

Dios perdona todo, menos las pendejadas.
Onésimo Cepeda, Obispo de Tlanepantla.

La guerra cristera fue una guerra de clóset; oficialmente no ocurrió, no está en los libros de texto y si se llega a mencionar públicamente se considera como un incidente, aunque este conflicto duro mucho más tiempo y generó mucho más muertos que la Revolución de 1910, la de 1913, más que todas las luchas entre caudillos revolucionarios de 1915 a 1924 y desde luego que el movimiento estudiantil de 1968, todos ellos ampliamente documentados y asumidos de manera oficial como parte de nuestra historia. Incluso ahora que el PAN ha ganado el gobierno federal, que este partido de alguna manera es quien tiene entre algunos de sus antepasados ideológicos a los cristeros, esta conflagración no ha sido aún asumida por la historia oficial. Hay muchas teoría por las cuales esta guerra civil no ha sido registrada como parte de la vida nacional, una de ellas es porque desde el principio de la guerra todo el mundo se hizo pendejo con lo que ocurría en México, desde el presidente de la República hasta el Papa repetían en todo momento el *mantra* de *"no pasa nada, no pasa nada, no pasa nada, no pasa nada"*… hasta que ya después de los tres años que duró la primera guerra cristera, cuando finalmente acabó, todo el mundo dijo: "Ya ven, ¡no pasó nada!". Otra de las razones es que todos los actores de esta guerra civil quedaron de la fregada.

En el caso de la Iglesia católica, por línea directa del Sumo Pontífice, los obispos y arzobispos del país condenaron oficialmente el movimiento y recibieron severas órdenes de no apoyarlo de ninguna manera. El único obispo que se negó a acatar estas instrucciones fue removido por el Papa e incluso hubo excomunión para los católicos que se levantaron en armas contra el gobierno de la revolución; por eso es mejor no abundar mucho en los detalles de esta confrontación, sobre todo ahora que los mártires cristeros han sido promovidos para su canonización por el Vaticano.

En el caso del gobierno revolucionario, la guerra cristera fue una lucha completamente impopular y esto la hizo impresentable para los libros de texto.

Otra razón que se usa comúnmente para desestimar el registro histórico de este conflicto es que la Cristiada sólo ocurrió en algunas regiones del país y no en todo México, y esto es cierto, pero lo mismo puede decirse de la intervención francesa, la guerra de reforma, la revolución mexicana y, sobre todo, el movimiento estudiantil del 68, que nomás pasó en algunas zonas de la Ciudad de México y es una referencia obligada de la historia de México, sobre todo por ser el precedente del movimiento del 69 que cambio para siempre las posiciones del hombre y de la mujer en nuestro país. (Bueno, siempre que estemos hablando de relaciones heterosexuales.)

Mi teoría de por qué la guerra cristera se mantiene en el *clóset* es a causa de la pendejada que la generó. Por supuesto, siempre puede decirse que todas las guerras son absurdas y mucho más las guerras civiles, pero créanme, en este caso el origen del conflicto es escandalosamente idiota. La guerra cristera se la debemos a una "volada" del periódico *El Universal.* Esta es la historia.

En el argot periodístico una "volada" significa publicar algo sin sustento, una invención, una puntada que no se ha confirmado y reconfirmado con el rigor que demanda el periodismo; y fue precisamente una "volada" la *causus belli* de esta sangrienta guerra civil.

En 1926, el gobierno y la Iglesia católica se llevaban francamente mal, pero nadie estaba pensando en una guerra. La Iglesia resentía mucho que no le otorgaran personalidad jurídica, la prohibición de la participación del clero en la política, que los templos fueran propiedad federal, no tener derecho de poseer bienes, ni poder ejercer el culto público fuera de las iglesias, pero esto que les pasaba no era nada nuevo, simplemente se cumplían las leyes de la Constitución de 1917, que por cierto en este caso eran las mismas que las de la Constitución de 1857, lo único distinto era que después de muchos años estas leyes se aplicaban y esto provocó un enorme conflicto en el país, como siempre sucede cada vez que cumplimos en serio lo que dice nuestra Constitución. Aun así, en 1926 ningún católico pensaba en levantarse en armas, y eso que ya les habían llenado el buche de piedritas. En 1921, la Iglesia católica fue víctima de un atentado organizado por el gobierno, que usó una bomba para destruir el lienzo de la virgen en la Basílica de Guadalupe, y aun así ningún sacerdote insinuó que los creyentes debían rebelarse contra el régimen. En 1925, también resintió el cisma religioso del padre Pérez, quien creó la *Iglesia Católica, Apostólica Mexicana* con apoyo de la CROM y del gobierno, tomándole varios templos a la Iglesia católica, Apostólica Romana, y aun así nadie quiso irse a los trancazos. Incluso el arzobispo primado de México, Monseñor José Mora y del Río, había sufrido en carne propia los rigores de la legislación y el 7 de febrero de 1925 fue consignado por el Procurador del Estado de Veracruz por violar la Constitución, al ser recibido con arcos triunfales en San Andrés Tuxtla. Pero repito, aun así nadie de la curia estaba organizando un levantamiento armado. En 1926, la tensión y hostilidad entre la Iglesia y el Estado eran extremas, pero no había *causus belli*. ¿Cuál fue la gota que derramó el vaso?...

(Dios tratando de entrar en un antro)

En enero de 1926, un reportero de *El Universal* llamado Ignacio Monroy sacó una nota en la primera plana del periódico diciendo que el Arzobispo José Mora y del Río estaba en contra del artículo 130 de la Constitución de 1917. Una gran nota en verdad, digna desde luego de ser la de "ocho columnas", si no fuera porque esta declaración la había hecho el arzobispo en 1917, es decir, ¡nada más 9 años antes! El Secretario de Gobernación contestó a esta declaración consignando al arzobispo ante la Procuraduría y José Mora y del Río fue detenido. En su averiguación aclaró que efectivamente sí dijo eso, pero muchos años antes y que no había sido entrevistado por el reportero que publicó esa nota, gracias a esto el prelado libró el proceso en su contra. Al enterarse de esta situación, los editores de *El Universal* quieren correr al reportero Ignacio Monroy por el ridículo en que había hecho quedar al periódico, pero éste les pide una oportunidad para arreglar la tremenda inconsistencia de su nota y para lograr esto se va a entrevistar al arzobispo y de plano le pregunta para salvar la chamba sí todavía es vigente lo que dijo en 1917, a lo que el prelado, que era un chivo en cristalería, le responde: *"La doctrina de la Iglesia es invariable, porque es la verdad divinamente revelada. La protesta que los prelados mexicanos formulamos contra la Constitución de 1917 en los artículos que se oponen a la libertad y dogmas religiosos se mantiene firme. No ha sido modificada, sino robustecida porque deriva de la doctrina de la Iglesia. La información que publicó* El Universal *de fecha 27 de enero en el sentido de que emprenderá una campaña contra las leyes injustas y contrarias al Derecho Natural es perfectamente cierta. El Episcopado, clero y católicos no reconocemos y combatiremos los artículos 3o., 5o., 27 y 130 de la Constitución vigente. Este criterio no podemos, por ningún motivo, variarlo sin hacer traición a nuestra Fe y a nuestra Religión".*

177

O sea que monseñor, después de haber tenido ya una broncota con el Estado sólo porque recordaron que hace años dijo que no le gustaba UN artículo de la Constitución, ahora se engallaba y muy machito declaraba que la Iglesia no sólo no reconocía, sino que además combatiría no uno, ni dos, ni tres, ¡sino cuatro! ¡Cuatro artículos de la Constitución! Esta declaración se publicó el 4 de febrero de 1926 y la reacción de Calles fue inmediata. Reformó el artículo 130 y dispuso una reglamentación donde los sacerdotes, para poder ejercer su ministerio, tenían que estar dados de alta en un padrón controlado por la Secretaría de Gobernación, esta norma además regulaba la cantidad de curas que podía haber por habitantes, así que en los lugares donde había más de los permitidos serían expulsados o reubicados por el gobierno.

Al darse a conocer la llamada "Ley Calles", el mismo reportero fue de inmediato a preguntarle al arzobispo su opinión sobre las nuevas disposiciones del gobierno y el prelado lejos de moderarse le echó más leña al fuego. Declaró que, desde luego, la Iglesia católica no acataría el reglamento y que él ya había ordenado que ningún cura se fuera a registrar ante Gobernación. ¿Cómo reaccionó el gobierno? Le agregó a su reglamento que los templos y lugares de cultos serían entregados a comités de vecinos para su inventario, control y administración. El reportero Monroy, desde luego, fue a preguntarle qué le parecía a Monseñor del Río ahora esta nueva disposición; y por supuesto, el arzobispo volvió a zurrarse en las disposiciones del régimen y dijo que la Iglesia excomulgaría a todas las personas que intervinieran para hacer esto. Tras publicarse esta nueva declaración del patriarca, llegó la nueva respuesta del gobierno, pero ahora de parte de uno de los más entusiasta *comecuras* que ha tenido México, el entonces gobernador de Tabasco Tomás Garrido Canabal, quien reformó la Constitución local para obligar a que los curas tuvieran además que casarse si querían ejercer el culto público en ese estado y para que le ardiera más al arzobispo ese matrimonio tenía que ser por lo civil. (Lo que nunca estuvo claro era si se tenían que casar entre ellos o con otras personas.) El arzobispo respondió excomulgando a Garrido Canabal y éste a su vez organizando la mesa de regalos para la boda de los primeros sacerdotes que se casaran en Tabasco.

La "Ley Calles", cómo se conoció a esta reglamentación, entraría en vigor el 1 de agosto de 1926. Un día antes, el 31 de julio, el arzobispo declaró una "huelga de sacerdotes" como protesta y todas las diócesis cerraron sus templos. Esta medida contó con la aprobación del Papa Pío XI. El gobierno, al ver que la Iglesia había cerrado sus parroquias, se sorprendió un poquito, pero la verdad en el fondo le valió madres. Sabía que quienes perdían con una medida así eran el arzobispo y sus chinchulines amaestrados. Los burócratas del régimen se prepararon a "resistir la huelga" por los siglos que ésta durara y se fueron a casa a descansar. Al ver que en esta situación se podían quedar hasta el fin de los tiempos, los obispos católicos comenzaron a buscar una nueva estrategia. Para septiembre de ese año comenzaron los primeros balazos de la guerra cristera y no se acabarían sino hasta 1929 en un acuerdo donde la Iglesia se comprometía a respetar el reglamento y el gobierno a no aplicarlo, un arreglo que resultaba vergonzoso para las dos partes, pero que sin duda era mejor negocio que seguirse matando. Por cierto que durante este conflicto el presidente Calles mando a sus hijas a Estados Unidos y las metió ¡en una escuela católica de monjas! Algo que en ese momento hubiera sido ilegal en México, pues durante esta confrontación las escuelas religiosas quedaron prohibidas, con lo cual se refuerza mi sospecha de que Calles en realidad no tenía nada contra la Iglesia católica, lo único que no soportaba era que le llevaran la contraria. Igualito

179

que Monseñor José Mora y del Río. Por eso en verdad creo que, si el reportero Ignacio Monroy no llega a publicar su "volada" en 1926, no tenemos una guerra cristera.

QUETZALCÓATL SON LOS PAPÁS.

Yo soy de los que se deprimen en Navidad.

Santaclós.

La verdadera historia del varón rojo que nunca nos han querido revelar

Hubo un tiempo en que Santaclós fue sustituido oficialmente por Quetzalcóatl; ocurrió en 1930 y esto lo celebró el
gobierno como una de las grandes conquistas del nacionalismo revolucionario. La imagen extranjerizante, imperialista

y antimexicana de Santaclós fue cambiada por un dios azteca. Ésta que parece una idea de Diego Rivera, en realidad se le debe al presidente Pascual Ortiz Rubio, mejor conocido como *El Nopalito*. No se sabe si le decían así por babosito o porque todos iban a verlo sólo cuando tenía tunitas, o por que como a los nopales cada día le encontraban más propiedades, pero chiquitas. Hay una versión que sugiere que le decían *El Nopalito* porque no tenía relaciones sexuales con nadie, pero ésta sí es la más improbable de todas.

Don Pascual fue impuesto en la presidencia por Plutarco Elías Calles, después de haberse perpetrado un escandaloso fraude electoral contra el candidato opositor, José Vasconcelos. Dicen que después de ese fraude Vasconcelos ya nunca más volvió a ser el mismo, sino que el resto de su vida fue *Vasconresentimientos*. En 1930, el señor Ortiz Rubio dejó su cargo como embajador en Brasil y se vino a México a ocupar la presidencia de la República. Prácticamente no hizo campaña, ¿para qué?, si ya había votado por él Plutarco Elías Calles. Con *El Nopalito* se inicia un período que se conoce como *El Maximato,* que consistió en una sucesión de presidentes peleles que no podían mandar ni a la chacha por las tortillas, pues quien en realidad gobernaba era Don Plutarco, quien en una nomenclatura casi mafiosa (bueno, sin el casi) se había hecho nombrar *el Jefe Máximo,* para elevarse sobre Carranza, el cual años antes se había autodenominado *el Primer Jefe.*

Durante la breve gestión de los 2 años siete meses que duró en "el poder" *El Nopalito* se lograron varias cosas trascendentales para el país: Don Pascual fue el primer tapado del PNR, antecedente del PRI, y con todo rigor podemos decir que él fue el primer tapado exitoso de la historia moderna de México; las elecciones donde salió ganador *El Nopalito* fueron el primer gran fraude electoral organizado por el PNR, por lo que a él le correspondió inaugurar la famosa y larga tradición de fraudes electorales priistas. Otro logro de su administración, tal vez el más importante de todos, fue haber salido vivo del atentado a balazos que tuvo justo el día que asumió la presidencia, el 5 de febrero de 1930. De puro churro sólo recibió un rozón de bala que le perforó el cachete y con esto se convirtió en el primer presidente de la Revolución que lograba salvar la vida después de que lo intentaran matar. Esto contribuyó enormemente a crear certidumbre en la solidez del gobierno mexicano y a que el cargo de Presidente de la República dejara de ser considerado como un trabajo de alto riesgo para las aseguradoras. Por supuesto, después de este atentado, Ortiz Rubio también fue el primer presidente que decían que se rasuraba a balazos. Lamentablemente, después del atentado, Don Pascual generó una neurosis bastante severa y se volvió un poquito paranoico; se obsesionó con la idea de que estaba rodeado de enemigos y traidores que sólo querían verlo o en la cárcel o muerto, siendo con esto el precursor de lo que hoy se conoce como *el síndrome del presidente en el último año del sexenio*, un padecimiento del que aún no se sabe que alguien se haya curado; es por eso que los ex presidentes mexicanos reciben esas enoooormes pensiones una vez que se retiran, pues casi todo ese dinero se lo gastan en terapias. En el caso del *Nopalito,* este trauma llegó a ser tan grande que renunció al cargo de presidente cuando empezó a tener alucinaciones en donde hasta su perro sólo le movía la cola a Plutarco Elías Calles. Ortiz Rubio declaró oficialmente que renunciaba a su cargo para "evitar el derramamiento de sangre", por lo que fue apodado por el pueblo como *la Toalla Sanitaria* (así de ingratos somos). Fueron muchas cosas importantes las que se lograron en la exigua administración del ingeniero Pascual Ortiz Rubio, pero sin duda la más importante de todas ellas fue haber logrado sustituir a Santaclós por Quetzalcóatl, una acción patriótica, estratégica y trascendental

183

que aún no ha sido valorada en su correcta dimensión, ya que éste fue un acto mucho más importante que el de la expropiación petrolera porque la cantidad de dinero que se mueve alrededor de la imagen de Santaclós es mucho mayor que lo que generan los ingresos petroleros, el turismo, las remesas y la piratería juntos. Esta revolucionaria historia navideña fue más o menos así.

En diciembre de 1930 apareció en la primera plana de los diarios de mayor circulación nacional una extraña noticia: "Quetzalcóatl será el símbolo de la Navidad en nuestro país".

El Secretario de Educación, Carlos Trejo y Lerdo de Tejada, declaraba a la prensa: "Ayer tuve el honor de comer con el señor Presidente de la República —Pascual Ortiz Rubio— y durante la comida acordamos la conveniencia de sustituir las tradiciones extranjeras que nos han impuesto [...]: será sustituido el símbolo de Noel o Santa Claus por el de Quetzalcóatl, divinidad que sí es mexicana".

184

Por supuesto, el hecho de que en el mito de Quetzalcóatl éste haya sido un hombre blanco, rubio, barbado que llegó por el mar de otras tierras fue algo que no contó en la propuesta del gobierno, que si hubiera hecho su selección con un poco de rigor también debió haber visto a Quetzalcóatl como un pinche extranjero; incluso, con esas características con las que lo describen, lo más probable es que Quetzalcóatl en realidad sí hubiera sido Santaclós, que cayó en México y ya no se pudo regresar porque los nativos le sacaron el corazón a sus renos.

Por supuesto que hubo protestas contra esta iniciativa del gobierno, sobre todo de las damas católicas, que en esos tiempos en que apenas se acaba de terminar la primera guerra cristera constituían la oposición más radical que tenía el gobierno.

El día que Santa Clos se estacionó en la ciudad de México

Para desestimar los reproches de la reacción, un grupo de intelectuales de izquierda encabezados por Diego Rivera se dedicaron a suministrar razones contundentes en favor de la causa de la candidatura de Quetzalcóatl para sustituir a Santaclós, y entre los méritos de este dios prehispánico destacaban el haber sido sabio, civilizador, artista, honesto, pacífico, divino y hasta cristiano, pues se recordó la teoría de Fray Servando Teresa de Mier (que le costó la excomunión y la persecución por parte de la Santa Inquisición), que proponía que Quetzalcóatl en realidad había sido el mismísimo Santo Tomás, que había evangelizado a los indígenas americanos antes de la conquista española. "Santa Claus había sido una importación del porfiriato", declaró el Secretario de Educación Pública Carlos Trejo y Lerdo de Tejada y, por lo tanto, la adopción de Quetzalcóatl como benefactor de la infancia mexicana serviría para "reimplantar en nuestro México su legendaria tradición de pueblo patriota y civilizado" y promovería que "nuestra raza recuperara su antigua grandeza".

185

De haber continuado este programa de gobierno, los juguetes de navidad se irían a comprar al Instituto Nacional Indigenista.

Esta reforma navideña se concretó el 23 de diciembre, celebrándose el anunciado festival para encumbrar a nuestro Santaclós emplumado en el Estadio Nacional (el mismo donde se creó el PNR). Allí, Quetzalcóatl entregó dulces, regalos y *suéteres* rojos a 15 mil niños mexicanos. (Esos *suéteres*

rojos jamás se supo si eran por el color de la bandera socialista o por el color de Santaclós). Quetzalcóatl se instaló en un templo piramidal puesto en medio del estadio, acompañado de varias delegaciones de la Cruz Roja, la Asociación de Protección a la Infancia, todo el cuerpo diplomático, el gabinete gubernamental, el Presidente de la República y su distinguida esposa. A las cuatro de la tarde, después de que la concurrencia entonó el himno nacional, Quetzalcóatl subió a su templo y recibió el homenaje de su corte de honor: sacerdotisas, tehuanas, aztecas e indios de Veracruz y Tlalnepantla. Después, subieron los Reyes Magos hasta la cima de la pirámide y se postraron para adorar a Quetzalcóatl; siguieron los juegos de "cintas" admirablemente ejecutados por los alumnos de la Casa del Estudiante Indígena. Quetzalcóatl repartió regalos a miles de niños y Don Pascual Ortiz Rubio estaba orondo, acaba de expropiarle Santaclós a los gringos.

186

Portada del periódico *El Universal* del 24 de diciembre de 1930.

187

Durante la administración de Pascual Ortiz Rubio jamás se llegó a saber a ciencia cierta quién lo había mandado asesinar en el atentado que sufrió el día de su toma de posesión, pero el hombre que le disparó, Daniel Flores, fue detenido y sentenciado a 19 años de prisión en marzo de 1931. El 23 de abril del año siguiente la prensa informó que había sido encontrado muerto en su celda de la penitenciaría. Durante el año que lo tuvieron encarcelado siempre declaró que él actuó solo y nadie le ordenó matar al presidente. Por supuesto, no le creyeron y como el señor Flores pudo haber sido el instrumento de los cristeros, los vasconcelistas, los comunistas, los anarquistas o los obregonistas, el gobierno se dedicó a matar a integrantes de todos estos grupos como represalia; así, tarde o temprano iban a atinarle a los culpables. Por supuesto, la línea de investigación que jamás se revisó fue la de que el atentado había sido ordenado por Plutarco Elías Calles.

Mi teoría es que este hombre, Daniel Flores, en realidad era uno de los enanitos de Santaclós.

Aquí vemos un anuncio navideño de 1930, donde los publicistas se fueron a la cargada con Quetzalcóatl, ¡no fuera a ser que esa tradición sí pegara!

El *Presidente Nopalito* renunció a su cargo en 1932 y salió rumbo al exilio en Estados Unidos, tras dejarle la presidencia a Abelardo L. Rodríguez. En ese país, Ortiz Rubio se encontrará con Vasconcelos, el candidato presidencial de la oposición a quien Don Pascual supuestamente había vencido en las elecciones de 1929 y se hicieron "amigos". Finalmente, tenían algo en común: Calles los había dejado en la calle.

Haciéndola de Pe...mex.

En 1934, Lázaro Cárdenas llega al poder de la misma manera que Ortiz Rubio: como el tapado de Don Plutarco y mediante unas elecciones fraudulentas (bueno, en esa época no había otra forma de llegar a la presidencia), pero para el siguiente año las relaciones entre el presidente electo y el que en realidad manda empiezan a ponerse cada vez más mal. En 1935, Pascual Ortiz Rubio es invitado a regresar a México por su amigo y paisano, Lázaro Cárdenas, y es nombrado gerente de la recién creada compañía petrolera del gobierno mexicano Petromex, la antecesora de PEMEX. Con su rehabilitación en la vida política, Cárdenas daba una clara señal de que se zurraba en Plutarco Elías Calles. Con este nombramiento, *El Nopalito* también inauguró la larga tradición de los directivos de PEMEX que llegan a ese puesto sólo por ser amigos del preciso.

189

Su Lucha.

Pero Vasconcelos no se quedó como el único exiliado en Estados Unidos por mucho tiempo. La noche del 9 de abril de 1936, veinte militares y ocho policías armados entraron en la hacienda de Santa Bárbara, residencia de Plutarco Elías Calles, quien se encontraba reposando en su cama leyendo *Mi Lucha*, el libro de Adolf Hitler; y lo sacaron del país en pijama y pantuflas. Ya formalmente desterrado Calles en Estados Unidos, un día se presentó en casa de Vasconcelos y le dijo: "Quiero que sepa que yo jamás he tenido personalmente nada contra usted". A partir de ahí, él y Calles se hicieron "cuates". Sobre esta extraña relación, Vasconcelos una vez comentó con amargo pragmatismo: "Nos había juntado la derrota".

relación sadomasoquista entre guajolotes

190

Baja California y Sube California.

Respecto a Carlos Trejo y Lerdo de Tejada, el Secretario de Educación Pública que operó el proyecto de Quetzalcóatl para sustituir a Santaclós, lo echaron de inmediato y lo mandaron al lugar más remoto que en esos años existía en el país. El 27 de diciembre de 1930 fue enviado como gobernador del territorio de Baja California, ¡apenas cuatro días después de haber sustituido a Santaclós por la Serpiente Emplumada! El cargo de gobernador lo ocupó apenas once meses y durante este corto tiempo logró poner en contra la mitad de las cuatro personas que vivían en este remoto lugar, por lo que en 1931 se dividió este territorio en dos: Baja California Norte y Baja California Sur. Lo más probable es que esto ocurrió porque los habitantes de este lugar se negaron a tener que hacerle sus cartitas a Quetzalcóatl. Finalmente, para evitar una tercera división política en este territorio, el 7 de noviembre de 1931 a Carlos Trejo y Lerdo de Tejada lo mandan de embajador plenipotenciario al carajo, para alejarlo definitivamente del país. Así comienza este funcionario una intensa y exitosa carrera diplomática. Estoy seguro de que la razón por la que el gobierno fue mandando cada vez más y más lejos a este político fue para evitar las represalias de todos los niños a los que al año siguiente ya no les trajo nada Quetzalcóatl.

Algunas consideraciones tontas y felices como un villancico sobre esta historia.

A pesar de que en todas las escuelas de gobierno se le dio la orden a los maestros de que impulsaran entre sus alumnos la idea de que el dios Quetzalcóatl es el que trae los regalos en Navidad, y de que seguramente hasta se les dotó de bolsas de plumas para que los estudiantes hicieran adornos navideños emplumando lombrices para colgar en el árbol de navidad, la verdad es que después de esa solemne ocasión del 23 de diciembre de 1930, cuando un güey disfrazado de serpiente emplumada repartió regalos de navidad entre los niños mexicanos, esta experiencia jamás se volvió a repetir. La salida de Carlos Trejo y Lerdo de Tejada de la SEP y de Pascual Ortiz Rubio del gobierno hicieron que la iniciativa se olvidara, y como muchos otros programas gubernamentales, fue sólo flor de un día; además, lo más seguro es que en ese momento *El Nopalito* ya recibía fuertes presiones para que el personaje que le regalara juguetes a los niños en Navidad no fuera Quetzalcóatl sino Plutarco Elías Calles, quien llegaba volando en un

191

tractor tirado por obreros, campesinos y empresarios con un saco lleno de regalos. Ahora que lo pienso, esta imposición fue la que debió haber hecho que Ortiz Rubio renunciara en 1932. Personalmente, creo que es una pena que hayamos abandonado esa bella tradición del Quetzalcóatl navideño, que por supuesto es completamente artificial y estúpida, pero no lo es menos que la tradición de Santaclós, de los Reyes Magos o dar vueltas alrededor de la Columna de la Independencia cuando gana la selección nacional. Sinceramente, opino que de haberse cultivado esta iniciativa al menos un sexenio, esta pendejada de Pascual Ortiz Rubio se habría convertido en una entrañable costumbre nacional que nos habría dado ese toque exótico que hace que los franceses prefieran venir a enfermarse del estómago en México que en Marruecos, que les queda más cerca, y esto habría aumentado el flujo de turistas extranjeros a nuestro país para pasar las vacaciones decembrinas. Además, si le preguntas a cualquier niño, ¿quién quieres que te traiga tu regalo de Navidad, un anciano gordo o una serpiente emplumada? De seguro que piden la serpiente, los pinches chamacos prefieren todo lo que sus padres pueden considerar peligroso para ellos. Por otro lado, también creo que fue un gran acierto haber escogido a Quetzalcóatl para sustituir a Santaclós, pues de todas las deidades prehispánicas es la única que no aceptaba sacrificios humanos, si hubiera sido Huitzilopochtli o Tezcatlipoca, los escuincles hubieran acompañado sus cartas con corazones de sus amiguitos para motivar más a que estas deidades les trajeran sus bicicletas; aunque eso sí, con Quetzalcóatl siempre podían sangrarse el pene con puntas de maguey para conmover al dios y de esa manera asegurar que les traería lo que pidieron. Lo que sí es que jamás aclaró la SEP si las cartas a Quetzalcóatl debían hacerlas los niños en español o en náhuatl.

Por otro lado, ya visto el asunto como negocio, considero que haberse podido quedar, aunque fuera un pequeño porcentaje del fabuloso mercado que tiene Santaclós, le hubiera dado a la SEP unos ingresos muy superiores a todo su presupuesto anual en cada temporada navideña.

Entre la visión y la alucinación emprendedora.

La imagen de Santaclós que conocemos en la actualidad es un invento de los despachos de publicidad de la Coca Cola, por eso lleva en su ropa esos colores y puede trabajar sin descanso y sin queja entregando regalos en todo el mundo durante una sola noche, pues al parecer su Coca Cola si lleva coca. Pues bien, si nosotros hubiéramos conservado a Quetzalcóatl entregando los regalos de Navidad, podríamos haber creado a un entrañable personaje con la cara de cada presidente, según el sexenio, ataviado de exóticas plumas de Quetzal, y en lugar de entrar por las chimeneas, se metería en las casas de los niños a través del espectro de las hondas radioeléctricas que son propiedad de la nación, y en lugar de tener un trineo jalado por renos voladores, habría sido transportado en un palanquín cargado por ocho musculosos tamemes y el de hasta adelante, Rodolfotzin "el de la nariguera de sangre", habría tenido siempre la nariz roja, pues se la habrían cortado como tributo. Les juro que cierro los ojos, veo esa imagen y la piel se me enchina de la emoción. Pero aún no todo está perdido, tengo esperanzas

193

de que algún día gane Beatriz Paredes la presidencia de la república y entonces pueda ver mi sueño hecho pesadilla, digo, realidad.

Algunas propuestas para Santacloses "alternativos".

La hegemonía global de Santaclós es absoluta, tan es así que ha logrado incluso desplazar al Niño Dios. Este personaje se ha convertido en el nuevo centro de la celebración de la Navidad en los países cristianos, pero también en los países no cristianos, donde el Niño Dios siempre les ha valido madres. Santaclós resultó ser una imagen tan atractiva que traspasa censuras fundamentalistas e inercias culturales, y lo mismo se puede ver su imagen en los anuncios comerciales de la tele de países absolutamente budistas como Tailandia o en los escaparates de los centros comerciales de Arabia Saudita. John Lenon llegó a decir cuando era parte de los Beatles: "Somos más famosos que Dios", y era cierto; pero también es verdad que los Beatles siempre fueron menos famosos que Santaclós. Estoy de seguro que en unos siglos el mundo entero por fin asumirá una sola y gran religión global que tendrá a Santaclós como único Dios verdadero y para adorarlo se construirán gigantescos y espirituales *malls* donde el ser humano podrá comprar, comprar y comprar hasta alcanzar su iluminación espiritual. De hecho, esta fór-

194

mula ya la siguen los de la iglesia de *Pare de Sufrir* y los de la *Iglesia Diabética,* digo, *Dianética,* con muy buen resultado. Pero volviendo a Santaclós, quisiera subrayar que su rápido éxito como tradición universal puede ser aprovechado por diferentes ideologías con el fin de apoyar la difusión o el adoctrinamiento de sus causas, siguiendo el brillante ejemplo de nuestro Quetzalcóatl navideño de 1930.

Películas de horror para guajolotes

195

Breve lista de nuevas versiones de Santaclós para cada régimen.

조선 민주주의 인민 공화국

Xiang Tai Klowns, o el camarada Klowns. *El Santa* de Corea del Norte. Cuyo nombre significa: "El que trae regalos en invierno en nombre del bien amado camarada líder, hermano mayor del sol, luz del partido, tigre de la revolución y conciencia despierta del mundo". Este personaje vive en el Polo Norte del Norte, pues la otra mitad de ese territorio, el Polo Norte del Sur, se encuentra ocupada por el imperialismo capitalista donde gobierna el tirano Santaclós, que explota a los pobres duendecillos proletarios que son obligados a trabajar hasta la muerte y una vez que ocurre esto muelen sus cuerpos para rellenar muñequitos de peluche para las niñas ricas de Estados Unidos. Xiang Tai Klowns vive en una trinchera junto a la frontera de los dos polos para impedir que el perverso capitalismo de sus vecinos contamine su territorio. Una vez al año, Xiang Tai Klowns toma su tractor, que es tirado por seis pandas rojos, y reparte propaganda comunista y fotos del bien amado camarada líder a los niños que se portan bien, y a los que se portan mal... les deja el doble de lo que les da a los otros niños.

(Santa Clóset)

Passsen, chicos, passen

Santa Clóset. El Santa gay. Este Santa nació originalmente como una promoción para pasar la cena de Navidad y la del Año Nuevo en los bares gays de San Francisco, pero a medida que se han ido imponiendo los derechos de los homosexuales como parte de la lucha contra la discriminación en las democracias políticamente correctas, Santa Clóset se ha convertido en una figura indispensable de la Navidad. Dependiendo de las legislaciones de los distintos países, no se permite pedirle juguetes a Santa Clóset hasta que por lo menos los niños cumplan 18 años. La leyenda dice que este simpático personaje vive en Ibiza a toda pastilla y se la pasa el resto del año entre sofisticadas discotecas y haciendo papeles como extra en películas de Almodóvar. Una vez al año deja las islas Baleares y reparte juguetes sexuales a todos los niños y niñas de ambiente.

197

Santahong Knghs. Santaclós del *Kemer rojo* camboyano. Es un campesino que pone campos minados alrededor de los arbolitos de Navidad. Santahong Knghs sale a pie de Ankor Wat una vez al año para ir a matar a los niños de las ciudades antes de que ese contexto burgués los pervierta. Este Santaclós estuvo vigente en Camboya de 1970 a 1976, luego fue hallado culpable de desviaciones contrarrevolu-

198 cionarias, por lo que fue fusilado.

San Manolo Clózez. El *Santaclóz* promovido por el nacio-nal catolicismo en la España de Franco. La leyenda cuenta que este místico *Santa* es en realidad la otra personalidad del apóstol Santiago causada por las crisis esquizofrénicas que le ocasiona el estrés navideño. Este personaje vive en la catedral de Burgos, donde hace más frío que en el Polo Norte. Allí se dedica a limpiar con sus lagrimas la tumba del Cid Campeador, a medir su fuerza en concursos de "pulsos" con el brazo incorrupto de Santa Teresa de Ávila y a dictar conferencias sobre temas tan variados como *La vigencia moral de Isabel La Católica en nuestros días* o *El imperioso imperio imperial de la España de los emperadores,* o su principal tesis teológica: *Dios es Español,* por la que recibió la Cruz de la Orden de Calatrava que lleva en el pecho. Una vez al año, Manolo Clózez, que ése es su verdadero nombre, sale montado en un toro para llevarle a todos los niños del mundo primorosos rosarios hechos con dientes de los prisioneros republicanos.

199

Zahá Antahá. El Santaclós de los supremacistas negros de la tribu Wuamazzo de Botswana. Zahá Antahá es una deidad mitad hombre, mitad elefante, mitad león, mitad hipopótamo, mitad cebra, mitad landrover, que vive tranquilamente en el desierto de Zimbawe, pero que una vez al año, justo la noche de Navidad, es obligado por su instinto a emigrar por todo el mundo para llevarle regalos a los niños que se portan bien; estos obsequios son pañales, ya que entre los Wuamazzo cuando los niños aprenden a controlar sus esfínteres ya son considerados como adultos, por lo cual ya no les trae regalos Zahá Antahá. La imagen de este personaje navideño no es muy clara, pues como sólo deja regalos a los niños de cero a 2 años prácticamente ninguno recuerda cómo es.

200

San Ta Kahán. El Santaclós maya. Esta es la versión yucateca del "Santaclós-Quetzalcóatl" inventado por el presidente Pascual Ortiz Rubio en 1930, pues desde luego en Mérida jamás hubieran permitido que una deidad *huach* fuera a llevarle regalitos a los *ninios*. San Ta Kahán vive en un senote (en el izquierdo de Sabrina) y ahí trabaja todo el año apoyado por un montón de laboriosos aluxes para llevarle juguetes a todos los pequeñines de la península de Yucatán (menos a los campechanos). Durante la Nochebuena, San Ta Kahán recorre la península en un queso relleno tirado por faisanes y venados.

Sansón Closovich. El Santaclós sionista que reparte juguetes *kosher* a los niños de los barrios jasídicos de Jerusalén. Este Santaclós fue inventado por Moshe Dayán durante la guerra del Yom Kipur de 1973. Su objetivo era tenerlo como arma secreta por si el estado de Israel alguna vez entraba en guerra con el Vaticano. (Por aquellos días, el estado de Israel debía estar preparado para entrar en guerra con cualquier país del mundo.) Pasada la guerra del Yom Kipur, este personaje continuó existiendo, debido a que se convirtió en un gran negocio, como todo buen Santaclós.

201

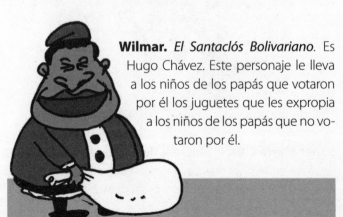

Wilmar. *El Santaclós Bolivariano.* Es Hugo Chávez. Este personaje le lleva a los niños de los papás que votaron por él los juguetes que les expropia a los niños de los papás que no votaron por él.

Sahadam Ben Qlós. El Santaclós islámico. Vive en la parte más, más fría del desierto de Kuwait, tiene 6 millones de esposas enanitas y junto con ellas se dedica a producir juguetes durante todo el año, los cuales reparte en Nochebuena sólo a los niños que se dejen la barba, ya que el profeta *Sallallaahu alaihi wa sallam* dijo: *Creced vuestras barbas y recortad vuestros bigotes.*[1] Esta es la razón por la que prácticamente ningún niño ha recibido regalos de Sahadam Ben Qlós y los que lo han hecho se han enfermado por andarse inyectando hormonas.

202

Super Mario Clós. El Santaclós de los videojuegos japoneses. Vive en el nivel 547 de la versión del videojuego *Manitutú contra los Unous, Las hemorroides de Picachú*, de la zaga

1 Ahmad 2/52.

de Pokemón tercera generación. La leyenda y la caja del videojuego dicen que si logras terminar el nivel 547 este Santaclós te regala dos vidas extras en el siguiente nivel, pero ojo..., esto pasa sólo si terminas el nivel 547 en Navidad.

203

Santa Sidarta. La reencarnación navideña de buda. Este Santaclós está muy de moda entre toda la gente *New Age*. Santa Sidarta le trae regalos sólo a los niños índigo que se portan bien, que consisten en buenas vibras, nivelación de sus chakras, armonización de su aura y quince minutos de meditación para que le vaya bien a cada niño que visita. Como podemos ver, no deja nada, por lo que es absolutamente detestado por todos los niños, y es la principal razón por la que ningún chamaco quiere ser niño índigo, pero sin duda alguna es la mejor elección si no se desea regalar nada en Navidad.

Herr Klöss. Santaclós creado en 1937 por el Departamento de Propaganda Nazi. Este personaje fue elaborado a petición del Ministro de Propaganda del III Reich, Joseph Goebbels, con el fin de que existiera un personaje que sólo le entregara juguetes a los niños arios que contaran con su certificado de pureza racial y con el sello de la oficina de investigación racial del NSDAP.[1] Cuenta le leyenda que este personaje vive solitario en uno de los picos más remotos de los Alpes bávaros, en un búnker secreto práctimente inaccesible e inexpugnable. Gracias a eso ha podido mantener su pureza racial durante más de 1,000 años, libre de cualquier mezcla que la corrompa; para superar la terrible neurosis sexual que le obliga el cuidado de su integridad genética, Herr Klöss hace juguetes las 24 horas de día los 364 días del año y en Navidad sale de su escondite para regalárselos a todos los niños que pertenezcan a la raza superior que debe dominar el mundo. En Navidad, Herr Klöss surca los cielos en un tanque panzer Sturmgeschütz IV, tirado por pastores alemanes.

1 Certificado de pureza racial.
La parte trasera de este documento contenía un árbol de familia, certificado ante notario, en el que se demostraba que no había ascendencia judía en la familia del interesado y se remontaba a 100 años atrás en los antepasados del titular de este documento; para ello, se llegaban a utilizar las partidas de nacimiento que la Iglesia católica o protestante guardaban en los registros de sus parroquias. Esta "ayuda" del clero ha sido una de las acusaciones más importantes a las que ha tenido que hacer frente la más alta jerarquía católica. Aquí vemos un certificado de pureza de sangre.

Certificado de pureza racial

205

Aún con el severo control de este documento, hubo cien mil judíos alemanes que obtuvieron su certificado y que pelearon en la Wehrmacht*, lo cual demuestra que la corrupción no es nada más mexicana. Por supuesto la historia de estos judíos jamás saldrá en las películas de Hollywood.

* David Norman, *Europa en guerra*, Editorial Planeta.

¡EL PETRÓLEO ES NUESTRO!
(CUALQUIER COSA QUE ESO SIGNIFIQUE)

El niño Dios te escrituró un establo
y los veneros de petróleo el diablo.

Ramón López Velarde,
fragmento del poema *Suave patria*.

Según varias versiones, la expropiación petrolera fue el momento culminante de la revolución mexicana, aunque en mi humilde opinión, mi corta perspectiva, mi modesto juicio, mi punto de vista y mi limitada apreciación, el momento más sobresaliente de la revolución fue cuando se hizo la canción de "La Cucaracha". Ahora que según el presidente Calderón en 10 años se nos va a acabar el petróleo, esta afirmación tiene cada vez más partidarios, pues muy pronto a lo único que le vamos a poder sacar dinero de lo que nos dejó la revolución es a las regalías por la interpretación de "La Cucaracha", aunque, claro, debo reconocer que lo más probable es que para entonces el sindicato de PEMEX y su líder, el señor Deschamps, ya hayan creado el Sindicato Único de Trabajadores de La Cucaracha, SUTLACU, que enajene el 80% de los activos de la canción y que el gobierno haya construido un edificio gigantesco llamado *La Torre de La Cucaracha* en la zona más cara de la Ciudad de México para meter allí a un ejército de burócratas encargados de administrar la canción y que, desde luego, también el Instituto Mexicano de La Cucaracha hará experimentos para ver si se puede obtener una sinfonía a partir de los derivados del estribillo de esta canción.

207

Más que el *oro negro*, el petróleo resultó ser el *loro negro*, pues todo el mundo se la pasa repitiendo todo el tiempo que es la gran riqueza de nuestro país. Para acabarla de fregar, ahora que parece que de verdad se va a acabar, el petróleo no nos sacó de pobres, como sí ocurrió en Dubai, los Emiratos Árabes Unidos, Kuwait, Arabia Saudita, Brunei, Omán, etcétera, por lo que se fortalece la hipótesis de que Alá sí existe y es el único Dios verdadero, pues nosotros con todo nuestro petróleo tenemos más de 24 millones de pobres reconocidos oficialmente por la Secretaría de Desarrollo Social, más todos los millones que no reconoce oficialmente y que podemos considerar como *pobres piratas,* mientras que todos esos países musulmanes que mencioné no tienen ni un solo pobre; es más, en Dubai tienen que importar pobres de otros países para explicarles a sus estudiantes de secundaria qué es eso en sus clases de ciencias sociales. Tal vez esto se debe a que en esos países lo sagrado es Alá y no el petróleo, como pasa en México.

El mito oficial de la expropiación petrolera es casi como el mito guadalupano, donde casi parece que a Tata Cárdenas se le apareció un obrero con su overol cubierto de flores y que al sacudirlas dejó ver sobre la ropa de este trabajador una mancha de chapopote donde se leía PEMEX y la voz del pueblo dijo a este obrero que PEMEX quería que le construyeran una inmensa torre en la avenida Marina Nacional para que ahí fuera adorada esta paraestatal por todos los pueblos del mundo.

Las imágenes que yo vi en mis libros de texto de personas humildes dando guajolotes y de personas adineradas dando sus joyas para ayudar al gobierno a pagar la expropiación petrolera son conmovedoras y reales, eso sí que ocurrió de verdad. Las fotos del presidente Lázaro Cárdenas anunciando desde el balcón de Palacio Nacional la expropiación petrolera ante un zócalo repleto de mexicanos que se congregaron para apoyar esta medida son reales, no fotomontaje. Todo esto sí pasó, por eso se da por sentado que la expropiación petrolera fue un proyecto revolucionario planeado y concebido como la culminación de sus ideales, la consecuencia lógica de su lucha; es más, la razón misma de la lucha.

— ¿Hicimos la revolución para….?
— ¡Lograr la expropiación petrolera, maestra!
— Muy bien, Juanito, tienes punto extra en aprovechamiento.

Así es más o menos como se plantea el tema en las escuelas de gobierno, como en las que yo fui. En las de paga, a las que no fui, la respuesta era muy diferente cuando la maestra preguntaba:

— ¿Hicimos la revolución para…?
— Lograr que mi bisabuelito fuera gobernador del estado, maestra.
— Muy bien, Juanito, tienes punto extra en *Couching Management.*

Pero…, ¿cómo ocurrió realmente la expropiación petrolera? *That is the question.*

209

Antecedentes, o no es lo mismo los hidrocarburos que los carbohidratos.

Una definición rápida del tema la da la Enciclopedia de México, que en su párrafo introductorio dice: "La expropiación petrolera fue el resultado de la implementación de la Ley de Expropiación de 1937 y del Artículo 27 de la Constitución Mexicana aplicados a las compañías petroleras el 18 de marzo de 1938 por el Presidente de la República, Gral. Lázaro Cárdenas del Río". Fin.

¿Y qué es lo que dice el artículo 27 de la Constitución? Dice que la propiedad de las tierras y aguas comprendidas dentro de los límites del territorio nacional corresponde originariamente a la nación, la cual ha tenido y tiene el derecho de transmitir el dominio de ellas a los particulares, constituyendo la propiedad privada…, y sobre todo dice: "CORRESPONDE A LA NACIÓN EL DOMINIO DIRECTO DE TODOS LOS RECURSOS NATURALES DE LA PLATAFORMA CONTINENTAL Y LOS ZÓCALOS SUBMARINOS DE LAS ISLAS; DE TODOS LOS MINERALES O SUSTANCIAS QUE EN VETAS, MANTOS, MASAS O YACIMIENTOS CONSTITUYAN DEPÓSITOS CUYA NATURALEZA SEA DISTINTA DE LOS COMPONENTES DE LOS TERRENOS, TALES COMO LOS MINERALES DE LOS QUE SE EXTRAIGAN METALES Y METALOIDES UTILIZADOS EN LA INDUSTRIA; LOS YACIMIENTOS DE PIEDRAS PRECIOSAS, DE SAL DE GEMA Y LAS SALINAS FORMADAS DIRECTAMENTE POR LAS AGUAS MARINAS; LOS PRODUCTOS DERIVADOS DE LA DESCOMPOSICIÓN DE LAS ROCAS, CUANDO SU EXPLOTACIÓN NECESITE TRABAJOS SUBTERRÁNEOS; LOS YACIMIENTOS MINERALES U ORGÁNICOS DE MATERIAS SUSCEPTIBLES DE SER UTILIZADAS COMO FERTILIZANTES; LOS COMBUSTIBLES MINERALES SÓLIDOS; **EL PETRÓLEO** Y TODOS LOS CARBUROS DE HIDRÓGENO SÓLIDOS, LÍQUIDOS O GA-

SEOSOS; Y EL ESPACIO SITUADO SOBRE EL TERRITORIO NACIONAL, EN LA EXTENSIÓN Y TÉRMINOS QUE FIJE EL DERECHO INTERNACIONAL."

Debido a este artículo, desde la implementación de la Constitución de 1917 los gobiernos revolucionarios tuvieron toda suerte de pleitos *cuentachileros* con las compañías petroleras que habían comenzado a operar en nuestro país desde 1884 bajo la protección legal de la Constitución de 1857 y la protección real de Porfirio Díaz, que les permitía tener todos los derechos sobre lo que sacaran del subsuelo.

Al principio las broncas entre las compañías petroleras y los gobernantes revolucionarios después de promulgarse la Constitución del 17 nunca fueron muy grandes, debido principalmente a que ninguno de los presidentes revolucionarios lograba gobernar más de dos años antes que lo asesinara su mejor amigo y siguiente mandatario de la República, así que por más que los petroleros quisieran pelearse con el gobierno nunca tenían muy claro contra quién hacerlo; sin embargo, poco a poco el grupo revolucionario que ganó fue acabando sus pugnas internas y estabilizándose hacia el periodo del presidente Calles (su mandato oficial fue de 1924 a 1928, pero siguió gobernando muchos periodos más), las compañías petroleras estaban urgidas de tener una certeza legal para sus inversiones, que veían amenazadas por el artículo 27, y deseaban arreglarse definitivamente con el gobierno y encontrar una salida a este asunto. Ah, pero eso sí, sin tener que pagar ni un centavo más, ni de impuestos, ni de permisos, ni de concesiones; de hecho, en general no querían darle al gobierno ni las gracias por poder sacar petróleo en México. La estrategia que emplearon los petroleros para negociar con los gobernantes revolucionarios fue la de apoyar a los grupos y caudillos que combatían a los gobernantes revolucionarios, pues en sus cálculos con eso ganaban de todas, todas. Si triunfaban los movimientos que ellos patrocinaban, les concederían lo que ellos querían; y si no, siempre podían comprometerse con el gobierno a dejar de apoyar a estos grupos a cambio de lo que ellos querían. Pero a los petroleros les fue mal en sus patrocinios, ninguno de los movimientos que apoyaron después del 17 aguantó la primera semana de balazos. Los constitucionalistas en el poder se mataban entre ellos, pero lamentablemente para las compañías petroleras los que quedaban en el gobierno seguían siendo constitucionalistas. Este fue el grupo que ganó la revolución y más o menos se podía decir que tenía este lema: "Entre nosotros podemos violar al presidente, pero nunca a la Constitución". En realidad, los violaban a los dos, pero con ellos en el poder en México todo podía cambiar, menos la Constitución.

Los constitucionalistas estaban conscientes de lo que hacían los petroleros y esto dio lugar a un periodo muy curioso de guerra fría entre el gobierno y las empresas petroleras durante los años 20, donde los dueños de estas compañías eran expulsados del país con soldados apuntándoles a la cabeza y después eran invitados a regresar con soldados haciéndoles guardia de honor para recibirlos en la estación del tren.

212

Finalmente, en 1926 estalló la guerra cristera y los petroleros por fin encontraron un movimiento consistente y popular que sí podía patearle los tompiates al Supremo Gobierno y lo patrocinaron decididamente. Estos recursos potenciaron muchísimo la capacidad combatida de los católicos sublevados y pusieron en graves aprietos a la administración de Calles que, para acabar con los rebeldes, se apresuró a negociar con los petroleros para que éstos mandaran al carajo a los cristeros. El problema era que, como constitucionalista, tenía que acabar constitucionalmente con el artículo 27... y lo logró.

En 1927, Calles hace que los magistrados de la Suprema Corte de Justicia pongan a boxear al artículo 14 de la Constitución con el artículo 27 y éstos fallan en favor del 14, diciendo además que éste había ganado por *knock out*.

En el artículo 14 de la Constitución de los Estados Unidos Mexicanos, en su párrafo primero, se establece que: "A NINGUNA LEY SE DARÁ EFECTO RETROACTIVO EN PERJUICIO DE PERSONA ALGUNA". Así que, con esa salvedad legal y sobre todo constitucional, todas las compañías petroleras que operaban aquí desde 1884 quedaron exentas de la aplicación del artículo 27, con lo que por fin todas las *oil companys* pudieron llegar a un *modus vivendi* con el gobierno revolucionario mexicano. Los petroleros le levantaron la canasta a los cristeros y éstos, para compensar la superioridad de fuego del ejército federal, comenzaron a fabricarse esos famosos escapularios que decían "Detente bala". Lamentablemente, como son muy pocas las balas que saben leer, estos escapularios casi nunca funcionaron. Para 1929, los católicos rebeldes aceptan una paz con el gobierno, pues estaban militarmente derrotados y aquí no pasó nada.

Después del arreglo del 27 para el artículo 27, vino una época de cordial entendimiento y mutua colaboración entre los poderosos dueños de las compañías petroleras y los

213

débiles presidentes mexicanos. El que en realidad mandaba en México era Plutarco Elías Calles, quien desde su casa de la colonia Anzures les ordenaba a todos los presidentes que le siguieron hasta qué tortilla tenían que agarrar para hacerse sus tacos. En esos tiempos, la residencia oficial para los presidentes de México era el Castillo de Chapultepec, y como este castillo está más o menos a la misma altura de la ciudad que la colonia Anzures, la broma de la época era: *Aquí vive el Presidente, pero el que manda está enfrente.* La aplicación puntual de este chiste duró desde 1928 hasta 1936 y este periodo es conocido como *el Maximato,* ya que Calles era reconocido por todos los revolucionarios como el "Jefe Máximo", así, *capo di tuti capi,* como *Don Corleone.* Durante este tiempo pareció que los magnates petroleros y los políticos mexicanos vivirían siempre felices comiendo perdices, pero el último presidente que impuso Calles, el general Lázaro Cárdenas del Río, decidió convertirse en el "Máximo Jefe Máximo", corrió a Calles del país y esto acabó con el tibio cobijo de este *status quo.*

214

(Métodos para ahorrar combustible)

Huele a Pinos.

Lázaro Cárdenas había sido electo (por Calles desde luego) para el periodo 1934-1940. Cárdenas no quería vivir en el Castillo de Chapultepec, que era donde debían vivir los presidentes, y mandó construir la residencia oficial de "Los Pinos" en una sección del bosque de Chapultepec donde estaba un rancho llamado "La Hormiga". El nombre del lugar se debe a otro rancho llamado "Los Pinos", en Tacámbaro, Michoacán, donde vivía su esposa Amalia Solórzano cuando era soltera y donde Lázaro y ella se conocieron y se enamoraron. Digamos que el general Cárdenas le mandó a hacer otro rancho como el de la casa de su mamá para que la señora no extrañara sus rumbos y luego no le saliera con eso de que "Aquí no *mi hallo*". En 1935, el matrimonio Cárdenas, después de adecuar el lugar, se mudó a "Los Pinos" y desde entonces éste ha sido el lugar donde han vivido los posteriores presidentes de México. Al salirse Cárdenas del Castillo de Chapultepec, Calles no advirtió que también se le estaba saliendo del huacal.

La madrugada del 10 de abril de 1936, Cárdenas, acompañado por un cuerpo militar, saca a Calles en pijama y pantuflas de su famosa casa de la Anzures y lo lleva hasta un avión del Ejército Mexicano que lo manda hasta San Diego, California. De esta manera, Cárdenas expulsa del país a Calles y pide la renuncia de todos los callistas en su gobierno.

Lo que le hicieron a Plutarco Elías Calles fue un secuestro y además lo mandaron a Estados Unidos sin visa y sin pasaporte, por lo que entró de ilegal a ese país y para mayor agravio se expuso a la vejación y vergüenza pública a Don Plutarco, ya que circuló la versión de que su pijama era un *baby dall* y todos estos atropellos contra un ciudadano los había hecho premeditadamente el gobierno mexicano. Esto hoy sería un gravísimo escándalo que causaría la airada intervención de la Comisión de Derechos Humanos y de que exigieran la renuncia del Secretario de Gobernación; y desde luego los gringos deportarían de inmediato, por medio de una patada en el culo, al mexicano que entrara en esas condiciones a su país. Pero en aquella época esto fue tomado como una señal positiva de que los tiempos estaban cambiando y de que Cárdenas pertenecía a una nueva generación de políticos, pues que en lugar de asesinar a su predecesor, sólo lo corrió del país; éste fue el primer síntoma de que los revolucionarios comenzaban a volverse fresas.

Plutarco Elías Calles fijó su residencia en San Diego, California, y ya no regresó a México hasta que el presidente Manuel Ávila Camacho, al final de su mandato, se lo permitió, debido a que estaba gravemente enfermo y quería morir en su país. Murió el 19 de octubre de 1945 en la Ciudad de México.

Pero volviendo al tema, una vez expulsado Calles del país, los dueños de las empresas petroleras se pusieron como hormigas a las que les tapan el agujero, ya que después de 8 años de tener a una persona y una forma para negociar sus asuntos, todo cambiaba. El nuevo *Don Corleone* era Lázaro Cárdenas y había que llegar a un nuevo acuerdo con él. Por supuesto, para la mafia de las compañías petroleras este nuevo acuerdo tenía que ser el mismo de antes. Y lo consiguieron, Cárdenas no volvió a mover lo del artículo 27 y dejó jurídicamente este asunto como lo había arreglado Calles.

Ahora sí: Cómo fue la expropiación petrolera.

El 16 de agosto de 1935 se constituyó el Sindicato de Trabajadores Petroleros de la República Mexicana y una de sus primeras acciones fue la redacción de un proyecto de contrato en el que se solicitaba una jornada de 40 horas, el pago del salario completo en caso de enfermedad y que pretendía sustituir los distintos contratos colectivos en las compañías petroleras. El 3 de noviembre de 1936 se les exigió la firma del contrato colectivo, es decir, estuvieron los trabajadores petroleros luchando para que sus patrones los pelaran por dos años nada más, y un poco hasta la madre de que les dijeran "vuelvan la próxima semana con su proyecto de contrato colectivo", decidieron poner un ultimátum y emplazaron a una huelga para el 17 de mayo de 1937 en caso de no cumplirse tal demanda, cosa que desde luego fue lo que ocurrió. Para tratar de remediar este conflicto, el gobierno entró al quite como árbitro conciliador con la Junta General de Conciliación y Arbitraje, la cual no logró hacer prácticamente nada para la reconciliación laboral y, a lo más, lo único que consiguió fue retrasar la huelga 14 días. Ésta comenzó el 31 de mayo y se levantó el 9 junio. ¡La gran huelga que ocasionó la expropiación petrolera sólo duró 9 días! y como 2 de esos días fueron de fin de semana, en términos reales sólo duró 7 días. La razón de la brevedad de esta tan anunciada huelga fue que en los primeros días de junio los trabajadores demandaron ante la Junta de Conciliación a las compañías para las que trabajan, por lo que quedaba supeditada a un fallo judicial la solución final del conflicto laboral. Así que hasta que un juez no dictara una sentencia, los trabajadores y los patrones guardaban en sus cajones las mentadas de madre y ambas partes se atenían a lo que dictara la sentencia, y los trabajadores volvieron a la chamba en lo que los tribunales hacían su dictamen. Técnicamente,

217

la huelga continuaba, pero en tribunales, no en los puestos de trabajo, algo que aun en nuestros días sigue siendo aún demasiado abstracto, demasiado moderno y demasiado civilizado para México.

En el mes de julio, por indicaciones de la Junta General de Conciliación y Arbitraje, se integró una comisión de expertos con Jesús Silva Herzog, Efraín Buenrostro y el Ing. Mariano Moctezuma para que investigara la situación financiera de las compañías petroleras y concluyó que las ganancias obtenidas por éstas permitían fácilmente cubrir las demandas de los trabajadores. Por supuesto a las compañías petroleras les cagó que les hubieran hecho báscula y que además les dijeran que no se hicieran los pobres y de familia numerosa, pues sí tenían los recursos que les negaban a sus trabajadores, pero lamentablemente eso de tener poco o mucho siempre ha sido un problema de percepción y más cuando se trata de dinero, pues cuando se trata de *pagar* siempre será mucho y cuando se trata de *cobrar* siempre será poco, por lo que el resultado de esta comisión fue desestimado, para decirlo de una manera amable, por las compañías petroleras; y aunque el gobierno intentó que con estos resultados la patronal se sentara a negociar con los trabajadores, no consiguieron ni siquiera que se volvieran mandar saludar. El desenlace de este delicado problema laboral quedaba ya únicamente en manos del juez, es decir, del gobierno, y esto era justo lo que menos quería Lázaro Cárdenas.

Pero para el 8 de diciembre, al no tener respuesta de la Junta de Conciliación, el sindicato petrolero realizó otro paro de labores. Habían pasado ya prácticamente 7 meses desde que levantaron la huelga en espera de que una sentencia zanjara el conflicto y no pasaba nada. El 18 de diciembre de 1937, la junta dio el fallo en favor del sindicato mediante un laudo en el cual se pidió a las compañías el cumplimiento de las peticiones y el pago de 26 millones de pesos en salarios caídos. Las compañías petroleras interpusieron una demanda de amparo el 2 de enero de 1938 ante la Suprema Corte de Justicia de la Nación, pero se les negó el amparo.

Como consecuencia, las compañías extranjeras se declararon en plena rebeldía. En respuesta, la Suprema Corte emitió su fallo el 1 de marzo, señalando que el tiempo límite para que las empresas pagaran los 26 millones de pesos era el 7 de marzo. Aunque se planeaba que fuera el 10 de marzo e incluso se abría la posibilidad de negociar plazos para repartir el impacto del pago de los salarios caídos…

Como vemos, el plan del gobierno de Cárdenas jamás fue el de la expropiación. La verdad, la administración de Cárdenas realmente intentó que las partes se arreglaran y, mientras pudo, el régimen se hizo pato para ver si con el tiempo las partes podían llegar a un acuerdo. Cuando de plano ya ni se podían sentar a negociar, su estrategia fue la de presentar un estudio oficial que le daba la razón a los trabajadores, pero que tenía la virtud de que no era ningúna resolución oficial, esperando que con esto los patrones negociaran con el sindicato la solución a sus demandas. Cuando se dieron cuenta que de verdad era imposible que entre ellos solitos se arreglaran, el gobierno de Cárdenas sacó como último recurso el fallo judicial en favor de los trabajadores, pero que finalmente reconocía a las empresas petroleras y que éstas tenían todo el derecho para sacar petróleo en México. Lo único que se buscaba era un contrato colectivo con jornada de 8 horas y el pago de 26 millones de pesos por salarios caídos para los huelguistas. ¿Qué fue lo que pasó del 1 al 18 de marzo que terminó en la expropiación?

219

220 El momento de la expropiación petrolera.

El presidente Lázaro Cárdenas tuvo reuniones con las compañías el 3, 6 y 7 de marzo para seguir negociando una salida al conflicto. Según relatos de testigos, en la junta del 7 de marzo, cuando el presidente Lázaro Cárdenas solicitó el pago de los 26 millones de pesos como una garantía para levantar la huelga, uno de los dueños de una de las compañías preguntó: "¿Y quién lo garantiza?" (hay que recodar que la huelga continuaba en los tribunales). "El Presidente de la República", contestó Lázaro Cárdenas, a lo cual el dueño respondió "¿Usted? ¿Y quién es usted?". Lázaro Cárdenas dio por terminadas las pláticas, se levantó y salió del lugar sin decir más. Habían logrado hacerlo encabronar.

Para el viernes 18 de marzo de 1938, las compañías extranjeras, advertidas por personas dentro del gobierno que el Presidente planeaba una expropiación en contra de ellas, declararon en el último momento estar dispuestas a hacer el pago de los 26 millones de pesos y conceder todo lo que les pedían en el contrato colectivo, pero ya era tarde, para entonces al presidente Cárdenas todas las *oil companys* le cagaban. A las 10 de la noche declaró la expropiación, mediante la cual toda la industria petrolera se volvía propiedad de la nación.

Las 17 empresas petroleras extranjeras expropiadas fueron Compañía Mexicana de Petróleo El Águila (London Trust Oil-Shell); Mexican Petroleum Company of California (ahora Chevron-Texaco, la segunda empresa petrolera global), con sus tres subsidiarias: Huasteca Petroleum Company, Tamiahua Petroleum Company, Tuxpan Petroleum Company; Pierce Oil Company, subsidiaria de Standard Oil Company (ahora Exxon-Mobil, la más grande empresa petrolera mundial); Californian Standard Oil Co., de México; Compañía Petrolera Agwi, SA.; Penn Mex Fuel Oil Company (ahora Penzoil); Stanford y Compañía Sucrs.; Richmond Petroleum Company of Mexico, (ahora ARCO); Compañía Exploradora de Petróleo La Imperial, S.A.; Compañía de Gas y Combustible Imperio y Empresas; Mexican Sinclair Petroleum Corporation (sigue siendo Sinclair Oil); Consolidated Oil Companies of Mexico, S.A.; Sabalo Transportation Company; y finalmente la Mexican Gulf Petroleum Company Nova.

221

ANTONIO GARCI

La expropiación petrolera que siempre nos la han vendido como el momento climático de la revolución mexicana, no fue el producto de un minucioso plan concebido para cumplir los más caros ideales de la revolución. Lo decisivo, lo que generó este acto, fue el enorme berrinche que hizo el Presidente de México al sentir que los dueños de las compañías petroleras lo trataban con el grosero y déspota desprecio que suelen tener los ricos poderosos. Además, si Cárdenas había logrado someter a Calles, con mucha más razón podía someter a las compañías petroleras que no tenían ni siquiera ejército o por lo menos eso era lo que pensaba, ya que poco después de la nacionalización del petróleo tuvo que hacer frente a una intentona golpista del general Saturnino Cedillo, que era a la sazón el Secretario de Agricultura y Fomento de Cárdenas y que se alzó en armas para evitar que las propiedades petroleras fueran expropiadas. Lázaro Cárdenas personalmente dirigió la campaña para combatirlo y le dio muerte en 1939.

Las consecuencias internacionales de esta nacionalización fueron que El Reino Unido rompió relaciones diplomáticas con México; los Países Bajos y Estados Unidos decretaron un embargo comercial y retiraron a todo su personal técnico. La Tesorería de Estados Unidos dejó de adquirir petróleo y plata mexicanos y dio toda su preferencia al petróleo de Venezuela. Afortunadamente, para 1939 estalló la Segunda Guerra Mundial y México se convirtió en el proveedor oficial de petróleo de los países del Eje. La Alemania nazi era nuestro mejor cliente y pagaba con oro saqueado de los países que iba ocupando, además por adelantado y también proporcionaba técnicos y toda suerte de insumos para la recién creada PEMEX, con lo que el boicot comercial de los gringos más que afectarnos nos favoreció. Para finales de 1941 la percepción general en todo el mundo era que la guerra la iba a ganar Alemania, y el Reino Unido y

Estados Unidos se dieron cuenta de que tenían problemas más importantes que andar organizando cómo echaban *pa'tras* la expropiación petrolera mexicana; y que en esas circunstancias les salía más barato reconocer y resignarse a aceptar lo que había pasado, con tal de que México dejara de venderle petróleo a los nazis y a los japoneses. De hecho, hasta estaban incluso dispuestos a pedirlo por favor. Así que el berrinche de Cárdenas tuvo un *timing* providencial, pues todos los astros se alinearon para que la expropiación se consolidara prácticamente sin represalias que nos impactaran de manera importante; si esto se llega a hacer en otro momento, la expropiación termina al mes siguiente con la ocupación militar inglesa y gringa de Veracruz, como otras veces ha pasado, pero resultó que justo en ese momento esas potencias no podían hacerlo, pues sentían, y con toda razón, que si volteaban para México, Hitler los iba a apuñalar por la espalda.

223

(P)UTOPÍAS MEXICANAS.

Seamos realistas, pidamos lo imposible.

Pinta sobre muros de París en mayo de 1968.

La Ciudad Obrera.

Los años 30 fue la época más izquierdista de México. Comenzamos con reivindicaciones nacionalistas y revolucionarias, como la de imponer a Quetzalcóatl en lugar de Santaclós en 1930, y terminamos con la expropiación petrolera de 1938. En 1934, se adoptó en México la educación socialista y para 1935 ya se cantaba en todas las escuelas la Internacional socialista, la Adelita socialista, la Marsellesa socialista y la Cucaracha socialista (en serio, hay una versión de esta canción con estrofas marxistas). Si esta inercia hubiera continuado hasta nuestros días, de seguro que se cantaría en las escuelas de gobierno la versión socialista de *la Chica material* de Madonna. Es la época en que se crea el Sindicato Revolucionario de Inquilinos, cuyo lema era: *Estoy en huelga, no pago renta,* y desde luego es la década de oro del muralismo mexicano, y en las cenas formales se usa la hoz y el martillo en lugar de cuchillo y tenedor. De esta década es precisamente la propuesta urbanística más fantástica, ambiciosa y vanguardista que se haya hecho desde que los aztecas decidieron construir su ciudad sobre el agua de una laguna. El gran proyecto de la Ciudad Obrera de 1938.

El arquitecto Carlos Contreras fue el primer urbanista moderno que tuvo México; el primero preocupado y mejor aún ocupado en los temas de sustentabilidad, viabilidad y crecimiento ordenado de las ciudades del país desde un punto de vista científico. En 1927, formó la Asociación Nacional para la Planificación de la República Mexicana (ANPRM). Esta asociación publicaba la importante revista *Planificación,* que mostraba en sus páginas los conceptos de urbanismo que se estaban difundiendo en ese momento en el mundo y la versión "mexicana" de los mismos. Esta publicación pretendía ser un instrumento para lograr la implementación institucional de estas ideas y de sus prácticas. Los años de tenaz empeño del arquitecto Contreras, de estar como cuchillito de palo promoviendo la ciencia del urbanismo, finalmente dieron frutos y en 1935 el gobierno de Lázaro Cárdenas le encargó a Don Carlos la planeación de la ciudad de México del futuro. Este arquitecto se puso a trabajar en serio y elaboró un sensacional plan rector a 50 años que concebía importantísimas obras que debía tener la capital del país, de las cuales todavía no se hacen ni la mitad. Este plan concluía en 1985. Según el arquitecto Contreras, para entonces la capital iba a tener tres periféricos, una zona rural artificial alrededor del lago de Texcoco, el relleno del vaso de Texcoco, dos aeropuertos: uno nacional y otro internacional, un Centro Histórico independiente y muchas zonas delimitadas y separadas para el desarrollo del turismo, la industria, el comercio, la recreación, las viviendas, las escuelas, etcétera. La

225

ciudad contaría con un médico por cada 100 personas y un automóvil por cada 300 pobladores, una red de teleféricos para comunicar todas las montañas del sur de la ciudad con el Centro y 2 millones de habitantes. La verdad, con que le hubiera salido sólo lo de los 2 millones de habitantes para 1985, la Ciudad de México sería un lugar maravilloso para vivir y lo digo con todo y que soy un chilango fundamentalista. En lo que sí le atinó fue en poner el final de sus obras de planificación para el año de 1985, porque como en ese año vino el terremoto, la Ciudad de México tenía que volver a hacerse de cualquier manera.

El plan de Contreras ha sido el único consistente y de largo plazo que se ha hecho para regular el crecimiento de la Ciudad de México y después de este gran esfuerzo sólo se han creado parches sobre lo que él concibió, y es lógico; si todo el país se hace de nuevo cada seis años, ¿para qué queremos planear una capital que dure más tiempo?

Este gran proyecto de los años 30 respondió al pensamiento funcionalista de la escuela del arquitecto Le Corbusier, que considera al urbanismo como una ciencia, o mejor dicho, un conjunto de ciencias que estudian la ciudad y la consideran como un organismo físico y como una entidad moral. Le Corbusier decía que la casa es una máquina para vivir.

La chambototota que se le encargó al arquitecto Contreras fue el proyecto más grande y más ambicioso que el gobierno mexicano se haya propuesto jamás, y de haberse realmente ejecutado de manera sistemática y continuada todas las propuestas del arquitecto Contreras durante los 50 años que iban a durar las obras, a lo mejor para 1985 sí hubiéramos tenido sólo 2 millones de habitantes en la capital o tal vez hasta menos, pues la mayoría de la gente habría emigrado por todas las molestias que habría causado la construcción de tantas cosas. Para 1937, la inminente implementación del plan de Contreras hizo que muchos grupos quisieran participar y meter sus propuestas para la capital del futuro; y con el fin de tratar de incluir a todos los interesados antes de empezar a romper las calles, en 1938 se realizó el XVI Congreso Internacional de la Planificación y de la Habitación. Allí, la Unión de Arquitectos Socialistas, constituida por los arquitectos Carlos Leduc, Enrique Yáñez, Enrique Guerrero, Alberto T. Arai, Balbino Hernández, Ricardo Rivas y Raúl Cacho presentaron una ponencia que tenía el significativo título de "Proyecto de la Ciudad Obrera en la Ciudad de México" y expusieron también la "Doctrina Socialista de la Arquitectura", donde se proponían lograr un "funcionalismo socialista". Estos arquitectos presentaron planos y maqueta de esta colosal obra y hasta planes para su preventa por medio de la CTM.

227

El proyecto.

La idea era destinar una enorme parte de la ciudad en la zona donde están actualmente las colonias Narvarte, Doctores y Del Valle de la capital exclusivamente para una zona de vivienda de la clase trabajadora. Las casas de este conjunto sólo tendrían una recámara, pues en ellas únicamente viviría la pareja de los obreros, ya que los hijos de las parejas desde el primer año de edad serían educados directamente por la CTM en "escuelas- internado", ubicadas dentro de esta ciudad. Allí se les enseñaría a los chamacos a tener verdadera conciencia de clase, además de las materias ordinarias del plan de estudios de la SEP; y eso sí, los niños podrían ver a sus padres un día a la semana y desfilar con ellos el Primero de Mayo. Ni los padres o familiares de la pareja trabajadora estaban contemplados para poder habitar también en estas viviendas, pero al parecer esto no se debía a alguna razón ideológica, sino a que simplemente más de dos personas en estas casas ya no cabían (más o menos como pasa en nuestros departamentos actuales).

Los trabajadores o trabajadoras sin pareja tampoco podrían vivir en este tipo de casas de la Ciudad Obrera; para ellos había una sección especial donde los solteros podían gozar de las maravillas de la vida comunal en una especie de barracas de lujo, con dormitorios, baños, comedores y personas comunes con las que podrían estar conviviendo todo el tiempo en idílica hermandad socialista, pues todos eran parte de la gran familia de la clase trabajadora. La sección femenina de esta área estaba debidamente separada de la masculina, pero ambas estaban unidas por una gran plaza común en la que sus líderes les darían discursos de concientización los fines de semana y durante estos actos político-mágico-musicales los hombres y las mujeres de la clase obrera se podrían ir conociendo y tratando. (Al parecer, sólo así se garantizaba que se iban a llenar estos actos.) Si se hacía una pareja y ésta ya estaba políticamente comprometida, entonces los novios podían pasar a estar sentimentalmente comprometidos y solicitar al sindicato su transferencia a las *casas para parejas*. Para evitar que con esta gran concentración de mexicanos esta urbanización se volviera relajo y que los solteros empezaran a meterse con los casados, o los solteros se aparearan con otros solteros, aunque no fueran de la misma sección del sindicato, o peor aún, ¡que trajeran personas de otra clase social al interior de la Ciudad Obrera!, como clase medieras calientes, burgueses promiscuos u otros obreros, pero de la CROM, poniendo en peligro el orden perfecto que se había planificado, la Ciudad Obrera contaba con comisarios sindicales encargados de vigilar que este tipo de cosas nunca pasaran; y si llegaran a pasar, que de inmediato fueran expulsados de este paraíso proletario los infractores.

En este enorme panal socialista —donde sólo había abejas obreras—, se encontrarían hospitales, cines, teatros, restaurantes, parques, canchas deportivas y transporte para obreros, el cual llevaría a sus habitantes hasta sus centros de trabajo y los traería de vuelta todos los días. Por cierto, en la Ciudad Obrera no se permitían las mascotas, pues éstas constituían una desviación burguesa.

El proyecto de la Ciudad Obrera fue presentado a Vicente Lombardo Toledano, entonces líder de la CTM, quien le dio su visto bueno y éste, a su vez, se lo presentó al presidente Lázaro Cárdenas que, cómo buen político, le dijo que sí lo apoyaría. Finalmente, ese año de 1938 vino lo de la expropiación petrolera y el gobierno, en lugar da dar dinero, lo estaba pidiendo, por lo que a este proyecto, inusitadamente raro y revolucionario, se le dio carpetazo y se olvidó rápidamente, menos en la CTM, donde hasta 1960 se cobraron cuotas sindicales destinadas a financiar este plan de vivienda para los trabajadores.

229

La comunidad sinarquista de María Auxiliadora.

Haciéndola de... PRUN.

En México, las elecciones presidenciales son el momento que consolida el trauma de cada generación y las de 1940 no fueron la excepción. En torno a la candidatura del general Juan Andréu Almazán se unió todo lo que estuviera en contra del cardenismo y del Partido Revolucionario Mexicano, del cual salió el PRI, y esta postulación logró aglutinar realmente a una gran cantidad de mexicanos de los más diversos sectores e ideologías, pero que estaban unidos por un solo ideal: darle en la madre al partido oficial. El general Almazán había sido maderista, después luchó contra Madero siendo zapatista; después luchó contra Zapata siendo huertista; después luchó contra Huerta siendo villista; después luchó contra Villa siendo carrancista; después luchó contra Carranza siendo obregonista... ; y no llegó a luchar contra Obregón porque antes se lo mataron. Él sí podía decir que había sido el más revolucionario de todos los revolucionarios, pues estuvo en todos los ejércitos de la Revolución. En la época de Calles ocupó varios cargos, llegando a ser Secretario de Comunicaciones y Transportes en el efímero gobierno de Pascual Ortiz Rubio, donde ocupó este cargo de 1930 a 1931, y aunque sólo duró un año, en este periodo se rompió el récord en la construcción de carreteras en el país, todas realizadas por su empresa "la Constructora Anáhuac". Existen evidencias de que Almazán planeaba construir la primera súper autopista para ir de la Ciudad de México a la chingada, con tal de seguir sacando lana del presupuesto. Este proyecto lamentablemente no se llegó a hacer, ya que los ocho carriles que tenía proyectados esta súper vía todos eran de ida únicamente. Para 1940, Almazán era uno de los hombres más ricos de México, ya que su empresa de construcción era la más próspera del país y también la que sacaba todos los contratos del gobierno. Si no se hubiera metido en el lado equivocado de la política, el general Almazán habría terminado construyendo brasieres de cemento para los cenotes de Yucatán, un cenicero para las cenizas del Popocatépetl, un despertador gigante para *la Mujer dormida* y una caja fuerte para meter el cofre de Perote, y toda suerte de obras públicas patrocinadas por el régimen. Pero en la cúspide de su carrera como empresario de la contratación de obras del gobierno, digo de la construcción de obras del gobierno, quiso volverse él mismo el gobierno, de seguro por pura simplificación administrativa. Su candidatura contra el candidato del PRM, Manuel Ávila Camacho, fue lanzada por el PRUN (Partido Revolucionario de Unificación Nacional), el Partido Laborista y el PAN y apuntalada por todos los sectores que estaban resentidos con el gobierno de Cárdenas, incluso el pintor comunista Diego Rivera formó parte de los comités en pro de la candidatura de Almazán,[1] probablemente porque Cárdenas ya no le financió su proyecto de hacer murales en las paredes de los baños de la Escuela Nacional Preparatoria, debido a que los alumnos ya los hacían gratis. Entre los muchos grupos que se unieron en torno a su candidatura, el que le brindó siempre un apoyo ciego y entusiasta fue el de la ultra derecha mexicana; para ellos, Almazán siempre fue su gallo, aunque éste cada que los veía les ponía *huevos*.

231

Para las elecciones de 1940 la lucha por el poder se había polarizado de este modo: Todos los que estuvieran con el gobierno votaban por Manuel Ávila Camacho y todos los que estuvieran contra el gobierno votaban por Juan Andréu Almazán.

El 7 de julio la votación fue absolutamente fraudulenta, manipulada e interrumpida por graves disturbios, debido al enfrentamiento violento entre almazanistas y avilacamachistas. Los diversos bandos se habían preparado para apoderarse de las urnas, ya que de acuerdo con la ley electoral de ese tiempo los primeros en llegar se convertían en representantes de casilla, por lo que el bando que madrugaba podía controlar el lugar donde se hacía la votación. Esto ocasionó un sinnúmero de conflictos, ya que la manera más práctica y rápida que encontró cada bando de asegurarse el lugar como representante de casilla fue matando al representante que había llegado antes. Solamente en la Ciudad de México los periódicos dieron a conocer el asesinato de más de 150 almazanistas. A pesar de las atroces circunstancias en que se realizaron las votaciones, al final de la jornada electoral los diarios más importantes del país, como *El Universal y Excélsior*, y también varios de los más importantes en el mundo anunciaron el triunfo de Almazán. Pero Lázaro Cárdenas anunció el triunfo de Ávila Camacho y eso fue suficiente para convertirlo en el siguiente presidente de México.

Oficialmente, Ávila Camacho ganó con el 93.89% de los votos contra el 5.72% de Almazán. ¡Y háganle como quieran!

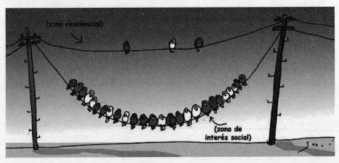

Esto no se va a quedar así.

Frustrados por la derrota electoral, los almazanistas se rasgaron las vestiduras, mandaron al diablo a las instituciones y se fueron a organizar una revolución; el mismo Almazán se fue a Cuba y a Estados Unidos para preparar la lucha armada que acabaría con el gobierno *nazicomunista* (así le decía de cariño Almazán al cardenismo). Todo estaba ya dispuesto para la rebelión; sin embargo, a la hora de convocar a los trancazos, el único grupo que lo peló, de todos los que lo seguían, fue el de los sinarquistas, una organización derechista formada casi completamente por lo que quedaba del ejército cristero. Dos mil de estos hombres se fueron a Estados Unidos en espera de recibir equipo y armas para preparar la invasión a México y allí, gracias a un pacto entre Juan Andréu Almazán, Ávila Camacho y el presidente de Estados Unidos, Franklin Delano Roosevelt, este grupo de sinarquistas fue apresado, posteriormente deportado y entregado al gobierno mexicano.

233

El detalle que acabó poniendo a Estados Unidos en favor de Ávila Camacho y el PRM fue que la revolución de Almazán estaba siendo patrocinada por los nazis y que el embajador de Alemania en la Ciudad de México era el que en realidad estaba organizando el gabinete de Juanito para una vez que triunfara su revolución.

Después de esto, Juan Andréu Almazán se retiró a la vida privada y siguió como próspero empresario trabajando para el gobierno, pero pasó el resto de su vida defendiéndose de acusaciones de cobardía y traición que le hacían sus antiguos partidarios (incluso se decía que había sido sobornado con dinero por Cárdenas). Reiteradamente se ha sostenido que Almazán traicionó a su gente; sin embargo, yo pienso que esto no es verdad, él simplemente era un revolucionario mexicano y fue congruente con esto hasta las últimas consecuencias, pues para prevalecer a Almazán sólo le faltaba luchar contra los almazanistas, y eso fue precisamente lo que hizo.

Entre los sinarquistas detenidos en Estados Unidos iba un líder de esta organización llamado Salvador Abascal Infante,[2] el cual, ya desilusionado de la política, decidió que lo que debía hacer era fundar un poblado donde se pudiera vivir de acuerdo con el Evangelio, alejado del bullicio y de la falsa sociedad. A esta utopía cristera se le conoció como la Comunidad de María Auxiliadora y se fundó en Baja California Sur.

Tierras vírgenes para la virgen.

Salvador Abascal reunió un grupo de familias muuuuuy católicas y las llevó a las remotas y desérticas tierras de Baja California para hacer allí lo que Santo Tomás hubiera hecho con la Ciudad de Dios, si la hubiera pensado de interés social. La verdad, Salvador Abascal eligió un lugar perfecto para crear esta comunidad, ya que el desierto de California tiene todo para fomentar el misticismo, aun en los más ateos. Yo he estado en ese durísimo paisaje de piedras y rocas y lo único que te la pasas diciendo es ¡Dios mío, por favor sácame de aquí!

Con el propósito de generar una reconciliación nacional, el presidente Manuel Ávila Camacho apoyó la fundación de la colonia mediante el otorgamiento de permisos, facilidades en el transporte y hasta el material para la construcción. De seguro que con tal de tenerlos más lejos, Ávila Camacho los habría apoyado hasta con cohetes espaciales para la fundación de esta colonia en Júpiter.

El proyecto inició con la posibilidad de tener de 40 a 50 mil personas, pero en realidad sólo emigraron 85 familias. Esta colonia fue fundada en enero de 1942, en el entonces territorio de Baja California Sur, a 350 km de La Paz, en el Valle de Santo Domingo. La nueva comunidad tenía 27 reglas que fueron elaboradas por Salvador Abascal Infante, las cuales

234

abarcaban desde los saludos cotidianos hasta la manera de co…mer. Aquí van.

1) Se declaraba que en nombre de la "Santísima Trinidad" la colonia se llamaba "María Auxiliadora".

2) Que basándose en los preceptos católicos, se buscaba formar una península de misioneros que sirviera a "América y el mundo", dedicándose al "amparo y patrocinio" de la "Virgen de Guadalupe" y otros símbolos religiosos.

3) El jefe de la colonia tenía que sujetarse a las leyes de la Iglesia Católica, tanto en sus acciones como disposiciones.

4) El jefe tenía por obligación escuchar las proposiciones de los distintos jefes de familia.

5) El jefe, a su vez, tenía como obligación escuchar las propuestas de las corporaciones que se iban a establecer (artesanos, ganaderos, agricultores), aunque sus acciones eran absolutas y definitorias.

6) Todas las compras y ventas comerciales de la colonia debían hacerse por medio de una proveeduría, para no entrar en conflicto con los nativos.

7) La jefatura también se encargaría de que el régimen de propiedad pasara del comunal al privado y corporativo familiar, dejando un régimen comunal para "los pobres".

8) Los colonos se comprometían a defender la "integridad del hogar", de acuerdo con la "Voluntad de Dios", y quien no cumpliera con este precepto sería expulsado.

9) Se expulsaría públicamente al individuo que maltratara a su esposa.

10) También se expulsaría a aquel que se embriagara, cometiera una falta o causara escándalo.

11) Se expulsaría a la que vendiera o distribuyera bebidas embriagantes en cualquiera de sus formas.

12) Quedaría expulsado también todo aquel que robara.

13) El saludo para anunciarse sería "Ave María Purísima", y la contestación, "Sin pecado concebida".

14) Los padres tenían la obligación de inculcar en sus hijos el amor por la religión y la Iglesia Católica, en contraposición al "asesinato, el robo y el pecado mortal". Dentro de este precepto se prohibía portar armas en cualquiera de sus formas, así como los juegos de manos.

15) Las madres tenían por obligación enseñar a sus hijas a vestir con modestia. Se imponía el uso del vestido largo a todas las mujeres mayores de 14 años.

16) Todo el mundo se obliga a santiguarse antes y después de los alimentos.

17) Diariamente debía rezarse el Rosario, ya fuera en las casas o en la iglesia.

18) A las 22 horas se imponía el toque de queda.

19) Se prohibían los bailes en cualquiera de sus formas, ya fuera en público o en privado.

20) La colonia se comprometía a enviar una delegación a las juntas anuales de jefes del sinarquismo.

21) La colonia se comprometía a respetar el lenguaje castellano, rechazando las "palabras pochas".

22) El servicio médico se consideraba como un servicio público que tenía que controlar el jefe.

23) Establecido el régimen corporativo, la colonia debía mantener a las viudas y los huérfanos.

24) Cuando hubiera fiesta religiosa se permitía no trabajar, aunque el trabajo debía canalizarse a la construcción de "templos, escuelas y carreteras" con la venia parroquial.

25) Se declaraba a la Semana Santa como de retiro espiritual y se prohibían los viajes de placer o de negocios.

26) La colonia se esforzaría en crear un patrimonio municipal por medio de la producción del olivo.

27) La educación se declaraba "católica y obligatoria".

237

Casi de inmediato empezaron las deserciones y los pobladores de esta *Ciudad de Dios* ya no sabían qué era más duro en la colonia, si el clima, el trabajo o las reglas. Casi a diario, Salvador Abascal escribía a Juan Ignacio Padilla, líder de la Unión Nacional Sinarquista, sobre las muchas y variadas carencias de la colonia, para urgirlo a que le mandara el apoyo que se había comprometido a dispensarle a este asentamiento que iba a ser el modelo perfecto de cómo debía ser la vida en nuestra sociedad, según la UNS. Abascal le pedía maquinaria, medicinas, ropa, alimentos, dinero en efectivo y hasta un cura, pues lo primero que levantó esta comunidad, desde luego, fue la iglesia.

Sólo en los primeros 3 meses salieron 30 cartas para Ignacio Padilla, o sea, casi una cada tercer día, y suponemos que Don Salvador no pudo escribir más seguido porque tenía que rezar para pedir que Juan Ignacio Padilla le contestara sus cartas. El líder de la UNS recibió todas las misivas enviadas de la comunidad de "María Auxiliadora", pero místico como era, se hizo como que la virgen le hablaba y jamás les mandó nada. Hambreadas, las familias de los colonos comenzaron a desertar en masa y algunas de ellas se cambiaron incluso de religión, pues se fueron a formar parte de asentamientos protestantes que ya estaban consolidados y que se encontraban más o menos cercanos a la colonia sinarquista.

La situación de "María Auxiliadora" empezó a ser desesperada, según una carta de Abascal a Torres Bueno fechada el 3 de mayo de 1942, donde afirmaba que la única fuente de ingresos era la enviada de México (o sea, el apoyo que les dio el gobierno federal para establecerse allí, es decir, la ayuda de sus enemigos). Abascal también se lamentaba de que sólo se podrían utilizar las cosechas para subsistir.

A pesar de todo, Abascal mencionaba en su correspondencia que la obra tendría éxito pasado un año y que "María Auxiliadora" se convertiría en el bastión de los pueblos católicos, rescatados de las "garras revolucionarias".

Pero la UNS no mandó ni dinero, ni semillas, ni maquinaria, ni medicinas, ni siquiera les mandó un tubo para que se fueran por él. Bueno, ¡no les mandaron ni un cura! La que iba a ser la comunidad católica ejemplo para el mundo no contó con un solo sacerdote para la iglesia que construyeron los colonos y en el dispensario médico parroquial no había ni un "curita" por si alguien se cortaba. Y es que, ya puestos a vivir como unos verdaderos católicos, ni el Papa puede.

Como suele decirse, la colonia de "María Auxiliadora" no llegó a Navidad. Antes de que terminara el año de 1942 el lugar estaba abandonado.

(Cómo se hacen las cosas en México)

239

1 Musgrave, Marie, *Las aventuras y desventuras de Juan Andréu Almazán, último gran general de la Revolución Mexicana*, Col. Mex., 1990.

2 Salvador Abascal Infante fue el padre de Carlos Abascal Carranza, ex Secretario del Trabajo y de Gobernación en el sexenio de Vicente Fox.

EL TRÁMITE MÁS INÚTIL DE MÉXICO.

La vida es una sucesión de trámites.
Primera gran verdad de la burocracia budista.

240 A mediados de su sexenio, el presidente Calderón anunció un desafío para todos los mexicanos. Un concurso para descubrir cuál era el trámite más engorroso e inútil que los ciudadanos tenían que hacer. Yo mandé para concursar *Las elecciones,* pero curiosamente no quedé ni siquiera en los 100 finalistas de entre los 20 mil participantes en el certamen; sin embargo, estoy seguro de que esto no fue debido a una censura política, sino a que tener que calificar algo así era un reto aún más grande para el jurado, pues en México tenemos miles y miles de trámites de donde escoger.

Curiosamente, el trámite para participar en esta convocatoria era sencillo; consistía en mandar una carta exponiendo el caso a una dirección de correo electrónico de la Secretaría de la Función Pública, la cual al parecer en todo el sexenio de Calderón es lo único que ha hecho.

Finalmente, el 8 de enero del 2009, en una ceremonia encabezada por el presidente Felipe Calderón, salió el primer lugar del trámite más engorroso e inútil de México y la denuncia ganadora fue para ¡el IMSS por los mejores defectos especiales y el mejor reparto de mentadas de madre! El gobierno federal entregó el premio a la abogada Cecilia Deyanira Velázquez y reconoció el presidente que esta mujer sufría por un trámite inútil, engorroso e inaceptable para obtener del IMSS el medicamento que debía darle a su hijo de siete años dos veces al mes. La mujer recibió un reconocimiento de manos de Calderón y un cheque por 300 mil pesos por haber denunciado el caso más representativo de un trámite inútil. En esta ocasión, el gobierno se preocupó mucho de que el cheque tuviera fondos para que el trámite de cobrar este dinero no se convirtiera en el nuevo ganador del trámite más engorroso e inútil de México.

En el evento también se premiaron al segundo y tercer lugares que correspondieron a Ana María Calvo, quien denunció lo engorroso por un juicio de aclaración en su acta de nacimiento en la Ciudad de México (para esta ciudadana era más fácil volver a nacer y sacar una nueva acta que arreglar la que le habían hecho); y a Monserrat Contreras por su queja en el trámite para obtener una constancia de residencia en Toluca, Estado de México (al parecer, le pedían que se fuera a vivir a otro país para dársela).

En esa ocasión, el Secretario de la Función Pública, Salvador Vega, aseguró que "con este concurso no se trata de premiar lo que se hace mal, sino dar voz a los ciudadanos para que denuncien".

Este exitoso concurso ya no se volvió a realizar, seguramente porque la gente estaba pidiendo que también se hiciera un certamen para descubrir quién era el funcionario más engorroso e inútil del gobierno, y el primer lugar se lo puedo haber llevado sin ninguna dificultad el titular de la Secretaría de la Función Pública. Hay que mencionar también que el único trámite inútil y engorroso que fue eliminado fue el del primer lugar, es decir, el del IMSS, pues como esta instancia es controlada por el gobierno federal, que convocó a este premio, pudo eliminarse. En el caso del segundo y tercer lugares, los trámites continúan igual, pues su jurisdicción compete a gobiernos locales, que además son gobernados por partidos distintos de los del gobierno federal, pero seguramente con el dinero del premio estos ciudadanos tuvieron suficiente para sobornar a los burócratas que les hacían imposible concluir su gestión y con esto pudieron realizar de manera inmediata la única verdadera simplificación administrativa que existe en nuestro país. De los otros 19,997 trámites inútiles y engorrosos enviados al concurso ya ni hablamos.

Al término de la premiación, varios medios de comunicación quisieron entrevistar a la galardonada y el personal de la Secretaría de la Función Pública les indicó que para eso debían hacer un trámite en la Dirección de Comunicación Social de la dependencia (en serio).

La vida es sueño.

Una de mis pesadillas recurrentes es que después de morir voy al infierno y para entrar me piden que vaya por mi acta de defunción y la entregue para dejarme pasar, yo regreso al mundo de los vivos a solicitar el documento y el burócrata del registro civil me dice que no me lo puede dar porque, como yo estoy muerto, ya no tengo personalidad jurídica para solicitar nada. Regreso con el burócrata de la entrada del infierno y le explico que no me dan mi acta de defunción porque ya estoy muerto y éste me vuelve a mandar a que se las pida; es más, que se las exija, pues éste es un documento mío y no me lo pueden negar, después de todo el difunto de esa acta soy yo. Armado de valor y renovado de la santa indignación por su arenga, pues este oficinista infernal me ha hecho ver que soy víctima de un atropello aún después de muerto, voy a ver al burócrata de la otra ventanilla, le manoteo en su mesa y le ordeno que me dé mi acta de defunción; éste, sin inmutarse, me echa un ojo por encima de la revista de crucigramas que está leyendo y me explica que los fallecidos no pueden pedir nada, se da media vuelta y me ignora, así, ¡como si estuviera muerto! Le pateo su escritorio y le grito para demandarle que me entregue mi acta de defunción, el funcionario me ve un momento y comprende que no me iré hasta que no me entregue el certificado, por lo que se levanta de su asiento, me toma suavemente del hombro y después de un largo suspiro me dice con fingido interés paternalista:

—Señor, yo la verdad quisiera ayudarlo, pero la normatividad me lo impide, vaya a la otra oficina y explíqueles que ellos están mal, pero como cosa suya, verdad. Dígales que no es posible que le pidan a un muerto que les lleve el acta de defunción. Además, es obvio que usted ya está muerto, ¿para que la necesitan?

El burócrata me ve a los ojos con una mirada que no sé si es de cansancio o de afecto, dudo un momento y le solicito que si me puede dar esa razón por escrito y de ser posible con sello de su dependencia. Me dice que con mucho gusto lo haría, sin embargo, el sólo puede extender un *justificante para explicar por qué no se hizo algo que sí se puede hacer;* sin embargo, es absurdo extender este tipo de documentos para exponer *por qué no se hizo algo que no se puede hacer.* Termino por darle la razón. De regreso a la puerta del infierno le explico al primer burócrata las razones que me dio su colega, por lo cual es ilógico que me pidan el acta de defunción para dejarme entrar al infierno. Éste se indigna y me grita que no puedo venir yo a decirle cómo tiene que hacer su trabajo, que él dejaba entrar difuntos al infierno muchos siglos antes de que yo naciera y después de sermonearme un buen rato zanja su monólogo diciendo que si no le traigo ese papelito nomás no me deja entrar y

243

punto. Regreso confundido y con la cola entre las patas con el burócrata de la otra ventanilla, a suplicarle que me dé mi acta de defunción, éste vuelve a negarse pero que en vista de mi situación me recomienda que le pida al funcionario de la entrada del infierno un *"pase extraordinario"*. Voy y por supuesto el cabrón me lo niega porque dice que lo insulté en mi pasada visita donde le expuse que era incoherente que le pidieran a un muerto su acta de defunción. Regreso con el burócrata que da las actas y así me la paso entre una ventanilla y otra por toda la eternidad para lograr entrar en el infierno, sin comprender jamás que ya estoy en él y que éste es mi castigo porque en vida jamás arreglé el trámite para el uso de suelo de la casa del perro.

De hecho, este sueño inspiró mi teoría sobre el origen de los zombis. Estos seres que no están muertos porque no pueden terminar algún tramite para fallecer y por eso andan todos pendejos comiéndole el cerebro a cualquier persona que atrapen, pues el suyo se derritió intentando resolver cómo terminar la diligencia administrativa en la que se quedaron atrapados.

Pero volviendo al tema del concurso para encontrar el trámite más inútil y engorroso de México, ese mismo año, y sólo un mes después que se dio esta premiación, el presidente obligó a todos los mexicanos a hacer el trámite más inútil y engorroso que se haya hecho jamás en nuestro país: el Registro Nacional de Usuarios de Telefonía Móvil (Renaut).

El 9 de febrero de 2009 un decreto que apareció en el Diario Oficial reformaba diversas disposiciones de la Ley Federal de Telecomunicaciones y obligaba a todas las personas que tuvieran un teléfono celular a registrarlo en una gigantesca base de datos única que tendría la información del número de cada teléfono móvil del país, quién era su dueño y cuál era su CURP Este trámite debería estar hecho antes de concluir el año o de lo contrario la línea telefónica sería dada de baja y el usuario que no se registrara perdería este servicio.

En México hay más teléfonos celulares que personas y la densidad de líneas de telefonía móvil para el 2009 se estimaba en 85 millones, mientras que la población del país se calculaba en ese entonces en 100 millones de habitantes. El Renaut es la base de datos más grande que jamás se haya creado en México, ni siquiera el IFE tiene una de ese tamaño, y la razón que se dio para hacer este esfuerzo colosal de los millones y millones de personas con celular fue que se usaría para evitar que estos teléfonos fueran utilizados por el crimen organizado para hacer secuestros. Con el registro se podría identificar de qué celular se hizo la llamada y la policía sabría quién era el dueño del equipo y dónde localizarlo, con lo cual el anonimato de estas llamadas se acabaría. Esta iniciativa salió de las discusiones realizadas en los diversos foros del Acuerdo Nacional por la Seguridad, la Justicia y la Legalidad hechos a finales del 2008.

245

En realidad, desde hacía años que se sabía que el 70% de los telefonemas de extorsión salen del interior de las cárceles, pues debe ser mucho mejor para los criminales hacer estas llamadas de negocios desde la tranquilidad de una celda, que desde su casa, donde siempre pueden estar jodiendo los chamacos o la señora que le grita al hampón que no pase con las patas sucias por donde acaba de trapear. Desde luego, hubiera sido mucho más fácil y barato imponer por decreto que se pusiera la tecnología para impedir la señal de los celulares en las prisiones mexicanas y con eso, de golpe, la PGR podía haber dicho que acabó con el 70% de las extorsiones telefónicas, pero NO, para el gobierno era más fácil que TODOS los mexicanos con teléfono móvil se registraran. Así como dicen los letreros en los gimnasios "Si no duele, no sirve", en cada oficina burocrática hay uno que dice "Si no es complicadísimo, no sirve".

246

Los mexicanos estábamos muy bien motivados para anotarnos en el Renaut, pues de no hacerlo perderíamos nuestra línea telefónica y ya no podríamos recuperarla, tendríamos la opción de comprar una nueva y de cualquier manera ésta debíamos registrarla. Aun así existía una enorme desconfianza hacia esta base de datos, nadie quería dar toda esa información, pues nuestra paranoia (que es la forma en que se da en nuestro país lo que en otro lugares llaman "inteligencia colectiva") nos decía que hacer eso podría ponernos en un gran peligro. Así que una vez más tuvimos que enfrentarnos al terrible dilema de confiar en nuestro sentido común o confiar en nuestro gobierno. Para finales del 2009 ni la mitad de los usuarios de celular se había registrado, por lo que el Estado tuvo que lanzar varios ultimátum para recordarles a los ciudadanos las consecuencias de no dar de alta en el Renaut sus equipos y reiteró que bajo ninguna circunstancia habría prórroga. La consecuencia fue que, al más puro estilo mexicano, en los últimos días del año todos los millones y millones de usuarios que faltaban se dieron de alta y el sistema del Renaut colapsó. Y aunque el sistema ya no podía agregar más registros, el gobierno volvió a declarar que no se extendería el plazo para este trámite, pues se había dado tooooodo un año para hacerlo, y si no se había realizado era por pura negligencia. Se pidió la intervención de los legisladores para posponer la fecha límite del registro, pero que no y el plazo se terminó con millones de líneas aún sin apuntarse en esta base de datos. Al ver el desastre que significaba este escenario para el negocio de los proveedores del servicio, la empresa Telcel, líder de esta industria en México, anunció unilateralmente que ellos sí darían una prórroga para que terminaran de registrarse todos sus clientes, en un claro desafío a las disposiciones oficiales. Envalentonados por esta acción, Telefónica MoviStar y Usacel dieron también sus prórrogas para evitar perder clientes. Finalmente, y casi con un mes de retraso, se concluyó el registro de todos los celulares activos en nuestro país en el Renaut y desde entonces cada línea nueva que se da en México queda en esta base de datos. ¿Y qué pasó?

Nada.

Desde entonces a la fecha no se ha capturado jamás a un solo secuestrador gracias al Renaut y lo peor es que nuestro temor se ha confirmado; esta enorme base de datos quedó

247

en venta. La información de millones y millones de teléfonos celulares está disponible para cualquiera por menos de $500 pesos. Los delincuentes sólo tienen que agregarle al precio del secuestro el costo de la compra de esta base de datos para falsificar la identidad de su teléfono y poder seguir operando impunemente; ahora que la verdad esto no es algo caro, así que afortunadamente el Renaut no impacta de manera inflacionaria en la industria de la extorsión en perjuicio de las víctimas. Y lo peor es que no sólo los criminales tienen estos datos, también las agencias de mercadeo, las de publicidad y los partidos políticos. En estos momentos, Manlio Fabio Beltrones, *El Peje* o Santiago Creel tienen ya nuestros teléfonos y están listos para mandarnos millones de mensajitos de texto para invitarnos a que les hagamos el caldo gordo en cuanto empiecen las próximas elecciones; y de seguro al rato también nos van a vender el *ring tone* de los ronquidos de Peña Nieto y *La Gaviota* o la foto de Marcelo Ebrard poniéndole cuernos al obispo de Guadalajara.

248

Si el concurso del trámite más inútil y engorroso se hiciera ahora, de seguro que lo ganaba el presidente Calderón con su Renaut.

LOS METRO SEXUALES.

Oigamos de un pescado que le dijo a la ballena,
Si no me lo quieres dar, retácatelo de arena.

Copla de un son jarocho.

(Auténtico bar gay)

En Arabia Saudita, las mujeres no pueden conducir autos ni mezclarse con hombres en el transporte público. En la Ciudad de México estamos a punto de lograr esto también. De hecho, siempre he sospechado que el programa *Hoy no circula* fue hecho por el Macho (Manuel) Camacho para ir impidiendo gradualmente que las mujeres ya no manejen, y lo de la separación de hombres y mujeres en el transporte público es parte de un sistemático programa de gobierno que desde hace más de 10 años se aplica en la capital del país para que por lo menos en algo nos parezcamos a

Dubai, Kuwuait o los Emiratos Árabes Unidos. Actualmente, existe una línea de autobuses sólo para mujeres llamada ATENEA, existen taxis rosas sólo para mujeres, nadie los ha visto, pero el gobierno de la ciudad vendió más de 2 mil placas de estas unidades; y los primeros tres vagones del Metro son sólo para mujeres. De continuar esta tendencia, muy pronto habrá trajineras de Xochimilco sólo para mujeres; banquetas por las que sólo podrán caminar las mujeres; y si el PRD sigue gobernando el DF, para el año 2030 ya sólo habrá mujeres en la Ciudad de México, con el fin de lograr que se sientan más seguras.

250

La conquista de espacios públicos *Mens free* en la capital del país comenzó durante el gobierno de Rosario Robles. Ella fue la primera y única mujer que ha gobernado la gran Ciudad de México desde la época de los aztecas hasta nuestros días. Chayo llegó al poder en 1999 porque su jefe, Cuauhtémoc Cárdenas, la dejó como Jefa de Gobierno interina cuando renunció al cargo para lanzarse por tercera vez cómo candidato a la Presidencia de la República. Esta tradición hizo que su instituto político, el PRD, fuera considerado un partido de puros candidatos externos y uno eterno.

En los pocos meses que la señora Robles gobernó la capital, aprovechó para sacar toda una larga agenda de reformas feministas e implantó cambios con una visión de género que los hombres habrían hecho. Uno de ellos fue volver multimillonario a su amante, Carlos Ahumada, dándole contratos para obras en la ciudad, algo que los prejuicios machistas habrían evitado, pues como Carlos Ahumada es hombre no se valoraría de manera correcta el mérito de sus nalguitas, las cuales desde luego lo acreditaban sobradamente para ganar todos los contratos del gobierno del DF sin ninguna licitación. Cómo dijera Marcelo Ebrard: *¡Así gobierna la izquierda!*

Doña Rosario, sensibilizada como estaba con la problemática de la mujer, sobre todo la mujer de Carlos Ahumada, implementó reformas tendientes a proteger a las damas que viven en este planeta de los simios (en celo) que es la Ciudad de México y ordenó que los primeros tres vagones del Metro fueran exclusivamente para mujeres. A partir de esta primera innovación, la capital cada vez brinda más espacios seguros para las mujeres o cada vez impide más que los hombres puedan usar el transporte público, según se vea. Es por eso que pronto estaremos como en Arabia Saudita; suena extremo, pero la verdad esta separación fue lo mejor que hizo durante su gobierno la señora Robles, es lo único de su administración que se ha dejado; y es que los chilangos parecemos hipopótamos en época de apareamiento cuando nos trepamos al transporte público y tomamos viagra para hacerle la parada al camión, tan es así que la creación de los vagones exclusivos para damas no bastó para que el Metro capitalino fuera un lugar seguro para las mujeres, por lo que

251

en el 2008 fue aprobada una ley que sanciona hasta con 6 años de cárcel o una multa equivalente a $1,200 dólares al hombre que piropee, manosee o se le quede viendo de manera lasciva a una mujer dentro de las instalaciones del tren metropolitano. Las leyes de la ciudad consideran al *manoseo* como un delito menor, pero dentro de las instalaciones del Metro esta acción se vuelve un delito grave. El impulsor de esta ley fue el Jefe de Gobierno capitalino, Marcelo Ebrard, quien dio el banderazo de salida a esta reglamentación en el evento de la campaña *Viajamos Seguras. Acoso Cero,* en donde declaró: "Los varones ya no tenemos que dar por sentado que los cuerpos de las mujeres nos pertenecen, por supuesto que no". Esta frase fue ovacionada por las burócratas del *Inmujeres del DF*, pero provocó profundos sollozos entre algunos travestis que habían asistido al evento.

252

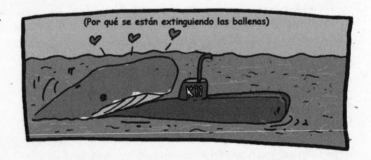

(Por qué se están extinguiendo las ballenas)

Con este nuevo enfoque de género, los elementos de vigilancia del Metro procedieron a hacer su trabajo y sólo durante el primer mes que entró en vigor esta ley más de 1,000 varones fueron detenidos y multados. Todo parecía que iba encaminado a lograr que el Metro capitalino fuera el primero y único del mundo donde los hombres extinguen por completo sus deseos sexuales. El gobierno estaba feliz por haber logrado la virtud y la castidad en los usuarios del transporte público y su propaganda mostraba fotos de mujeres dentro de las instalaciones sonriendo, mientras decían: "Yo uso el Metro porque aquí me siento más segura". Pero la felicidad no puede ser eterna, es más, ni siquiera puede ser prolongada. A dos meses de que entró en vigor esta ley comenzaron a salir reportajes en los periódicos con historias atroces de pasajeros del Metro que eran extorsionados por mujeres que les pedían dinero a cambio de no denunciarlos. El modo en que operaban estas bandas era el siguiente: entraban a un vagón y entonces una mujer gritaba que la habían piropeado, manoseado o que se le habían quedado viendo con una mirada lujuriosa y vulgar, acto seguido acusaba de esto a uno de los hombres que viajaba en el vagón, dos de sus cómplices saltaban de inmediato para intimidar al acusado y decían que servirían de testigos en la denuncia de la mujer; después, le explicaban al inculpado las consecuencias para él de esta denuncia; luego le comentaban que si le daba una lana a la señorita para indemnizarla podían olvidar su falta de respeto y aquí no pasó nada. Por cierto, en varios periódicos quedó constancia de que los chantajistas tenían como mínimo una cuota de 500 pesos a cambio de no levantar la denuncia, y esta tarifa podía llegar a una cantidad equivalente a los 600 dólares, la mitad de la multa por este delito en el nuevo reglamento; con lo cual el Metro de la Ciudad de México pasó de ser el más barato al más caro del mundo, debido al precio en que te podía salir un viaje en este transporte. Esta extorsión se volvió tan común que a los 6 meses de iniciada la ley las autoridades del Metro retiraron toda la abundante propaganda sobre esta disposición y dejaron a esta legislación en el mismo estado de la mayoría de las leyes de México: sólo se aplica si ya de plano no queda más remedio.

253

Relación sadomasoquista entre ratones

Todo esto lo cuento con profunda decepción, pues yo soy un entusiasta admirador tanto del Metro como de las ~~mujeres~~. Bueno, sólo de mi mujer, y nada más que de mi mujer, ¿verdad que estás contenta, Citlallita hermosa?

En contraste con esta medida de tolerancia cero está la disposición que implementaron las autoridades para el caso de los "Metro Sexuales" en el mismo transporte público.

254

De Camarones a Popotla.

A finales del 2010 pasó de ser un mito urbano a un fenómeno ampliamente documentado el hecho de que la gente usa el Metro para ir a coger. A esta actividad las autoridades le llaman hacer ESO, las abreviaturas de Encuentros Sexuales Ocasionales, y en YouTube ESO en el Metro puede encontrarse profusamente registrado. Por tal razón, desde febrero del 2011, el alto mando del Metro decidió que después de las 22:00 horas se mantendrán cerrados los últimos tres vagones de las líneas 1, 2, 3, 9 y B, pues es allí donde se hace ESO con más frecuencia. Este grupo de personas que va a buscar sexo a los trenes del transporte colectivo es conocido por los medios como los "Metro Sexuales", pero entre quienes practican esta modalidad de ligue esta actividad es conocida como "metrear". Según el jefe de la estación Garibaldi, entrevistado por el periódico *Excelsior* el 13 de febrero de 2011, los policías del Metro han atestiguado relaciones sexuales de hombre con hombre, mujer con mujer, hombre con mujer, hombre con perro guía para ciegos y hombre con puerta de vagón del Metro (al parecer, es por eso que en algunos vagones el hule de las puertas tiene algunos extraños orificios).

255

Este es uno de los letreros colocados en el Metro a partir de las 22:00 horas para los últimos tres vagones de los trenes.

Lo que voy a decir ahora es todavía más políticamente incorrecto que todo lo escrito anteriormente —que ya es bastante—, pero la verdad resulta curioso que si un hombre nalguea a una mujer en el Metro pueda ser castigado hasta con 6 años de prisión, pero, en cambio, si tiene relaciones sexuales con ella en el Metro lo peor que le puede pasar es que le cierren los últimos tres vagones para tratar de evitar que vuelvan a hacerlo. Desde luego, entiendo que el problema es que en el primer ejemplo no hay consentimiento y en el segundo sí, y esa es la gran diferencia que hace que un mismo acto pueda considerarse violación o hacer el amor; sin embargo, mi punto en realidad es que hay que entender que en el fondo esto pasa en el Metro y lo raro del caso es que si un hombre en alguno de los vagones se saca su pene es un degenerado que puede ir a la cárcel y aplicársele una multa de más de 15 mil pesos; pero si se saca el pene y encuentra pareja, entonces lo que hace la autoridad es disminuir los vagones utilizables de los trenes, con lo cual todos los que no tuvimos ESO somos castigados doblemente, pues además de que no cogimos, nos quedamos con menos lugares para viajar sentados (sin albur).

(Cómo se hacen los muñecos de ventrílocuo)

¿Y tú no te vas a voltear?

Por otro lado, la medida de las autoridades del DF de cerrar estos últimos tres vagones me desconcierta, ¿pues qué van a hacer cuando los que "metrean" se pasen a coger a los vagones que sí están en servicio?¿Van a cerrar también otros tres vagones? Y si hacen esto, ¿qué solución van a encontrar cuando se pasen a los demás vagones que quedan abiertos? ¿Harán que el Metro haga su recorrido con todos los vagones cerrados a partir de las 10 de la noche? Nomás vamos a ver pasar los trenes vacíos, pero eso sí con la tranquilidad de que estamos en un transporte público decente… ¿Y si entonces la gente se pone a *ponerle* en los andenes? Bueno, las autoridades siempre pueden cerrar también las últimas tres estaciones de cada línea del Metro después de las 22:00 horas. ¿Y qué va a pasar si los que "metrean" empiezan a hacer ESO más temprano? La "hora pico" en el Metro se podría convertir en "ahora pico". Otro problema grave que no han previsto las autoridades es que cuando los trenes van de regreso, los últimos tres vagones del Metro se vuelven los primeros, ¡justo los que son destinados para el uso exclusivo de las damas con el fin de protegerlas de abusos sexuales!, con lo cual en estos vagones sólo para mujeres se podrían empezar a dar *shows strippers,* de esos que llaman "Sólo para mujeres".

Como buen mexicano, yo soy conspiránico, por eso estoy seguro de que esta actividad no sólo es tolerada, sino que además es promovida por el gobierno con el fin de poder subir el precio del boleto a 10 pesos, que es lo que cuesta realmente un viaje en este medio de trasporte, según los letreros que están en todas las taquillas del Metro. Mi teoría es que de si la Dirección de Transporte Público de la capital garantiza que cada persona que viaje en el Metro va a tener transporte, vapor, masaje y sexo por tan sólo 10 pesos, la verdad nadie se va a quejar.

A continuación voy a trascribir los hechos registrados en un video tomado por una cámara de seguridad en la estación Villa de Cortés de la Línea 1 del Metro capitalino el 19 de enero de 2011, el cual llegó a mí gracias a un vendedor ambulante ubicado en este lugar, quien dejó de vender los devedés porno con el título de *Hoteles de Tlalpan* para vender ahora los devedés porno con el título *Estaciones del Metro de Tlalpan*.

La imagen del video muestra el anden de la estación casi vacío; en el margen superior derecho del cuadro parpadea un reloj. Se leen las 23:39 horas. Una viejita de cabellera canosa recogida en un gran chongo y lentes de fondo de botella que va vestida como beata de iglesia de barrio pobre llega muy alterada y corriendo con el policía que recorre el anden.

VIEJITA:
—Socorro, Socorro…, Socorro.

OFICIAL:
—¿Qué le pasa, señora? ¿Le hicieron algo?

VIEJITA:
—No, es que estoy buscando a mi hermana, que se llama Socorro.

OFICIAL:
—¡Ah! Qué susto, pensé que la habían molestado los metro sexuales. Son personas que andan encueradas en los últimos vagones del tren porque vienen a hacer ESO.

VIEJITA:
—¿Qué es ESO?
El oficial saca un manual del bolsillo trasero de su pantalón y se lo lee a la viejita.

OFICIAL:
—En mi manual dice que ESO son las siglas de Encuentros Sexuales Ocasionales. Por eso decidimos

clausurar los tres últimos vagones del Metro a partir de las 10:00 p.m.

VOZ DE OTRA MUJER:
—Auxilio, Auxilio.

OFICIAL:
-Oh, no, otra pasajera escandalizada por los *metro sexuales*..., y pide ayuda.

VIEJITA:
—No, esa es mi hermana que me está llamado, yo soy Auxilio y ella es Socorro. Estamos buscando los vagones donde hacen "ESO" para ver si así por fin dejamos de ser señoritas.

VOZ DE OTRA MUJER :
—Auxilio, es aquí, córrele, que el señor no tiene todo el día. ¡A las 12 cierran el Metro!

259

La viejita se va corriendo y el guardia va tras ella, mientras se quita la camisa.

GUARDIA:
—Socorro, pregúntele al señor si no tiene amigos.

El guardia y la viejita se meten corriendo al último vagón del tren, la toma empieza a perderse por una interferencia en la señal que la hace intermitente hasta que la pantalla queda oscura. Cuando la señal regresa, vemos el salón general de monitores del Metro con un muro lleno de pantallas que registran lo que sucede en todas las estaciones; allí puede verse claramente a los principales funcionarios del gobierno capitalinos mirando azorados lo que ocurre en el Metro..., mientras se tocan sus partes.

(El origen de la mitología)

BIBLIOGRAFÍA

AGUILAR DE LA PARRA, Hesquio, *Santa Anna, el lencero y yo: así me lo contó Antonio López de Santa Anna,* Ed. Sitesa, México, 2010.

AUTORES VARIOS, *La historia de la expropiación petrolera,* Ed. Instituto Mexicano del Petróleo. México, 1978.

BULNES, Francisco, *El verdadero Díaz y la Revolución,* Ed. Nacional, México,1960.

—, *El verdadero Juárez y la verdad sobre la intervención y el imperio,* Ed. Nacional, México, 1965.

—, *Las grandes mentiras de nuestra historia,* Ed. Nacional. México, 1966.

CASASOLA, *Historia gráfica de la Revolución Mexicana,* 2ª edición, Editorial Trillas, S.A., 10 tomos, México, 1973.

CEDILLO, Juan Alberto, *Los nazis en México,* Editorial Debate, México, 2007.

COSÍO VILLEGAS, Daniel, Coord. *Historia general de México,* Colmex, II Tomo, México, 1986.

CHRISTON I., Archer, *El ejército en el México borbónico, 1760-1810,* Fondo de Cultura Económica, México, 1983. (Sección de obras de historia.)

DAVIES, Norman, *Europa en guerra*, Editorial Planeta, México, 2008.

DÁVILA, Héctor, *"Escuadrón 201"*, revista *América Vuela, núm. 80, agosto-septiembre de 2002.*

DE ANDA Alanís, Enrique, *Historia de la arquitectura mexicana,* Ed. Gustavo Gili, México, 2006.

DE MAULEÓN, Héctor, "El regreso sin gloria de Jaime Nunó", *revista Nexos,* 2005.

DEL VALLE ARIZPE, Artemio, *La Güera Rodríguez,* Editorial Patria, México, 1944.

Expediente del himno nacional del Instituto Mexicano de Derechos de Autor.

FERNÁNDEZ, Luis, *Mexicanos al grito de guerra*, Fernández Editores, México, 1953.

FUENTES AGUIRRE, Armando, *La otra historia de México, Juárez y Maximiliano,* Editorial Diana, México, 2006.

González Obregón, Luis, *Historia y leyendas de las calles de la Ciudad de México,* Ed.Patria, México, 1950.

—, *México viejo,* Ed.Patria, México, 1945.

ÍÑIGO, Alejandro, *Bitácora de un policía, 1500-1982,* Ensayo histórico, Grupo Editorial 7, México, 1986.

LÓPEZ DE SANTA ANNA, Antonio, *Biografía de Antonio López de Santa Ana.*

"Memorias de Salvador Abascal", revista *Nexos*, 2000.

MUSGRAVE, Marie, *Las aventuras y desventuras de Juan Andréu Almazán, último gran general de la Revolución Mexicana,* Col., México, 1990.

QUIRARTE, Martín, *Visión panorámica de la historia de México,* Porrúa, México, 2005.

SÁNCHEZ, Agustín, *4 atentados presidenciales*, Editorial Planeta, México, 1994.

TIMOTHY E., Anna, *El Imperio de Iturbide. México,* Consejo Nacional para la Cultura y las Artes, Alianza Editorial, México, 1991. (Los Noventa)

URQUIZO, Francisco L, *Obras escogidas,* Fondo de Cultura Económica, México, 2003.

WILKIE, James W., *La revolución mexicana (1910-1976): Gasto federal y cambio social,* 1ª ed., Fondo de Cultura Económica, México, 1978. (Sección de obras de economía.)

ZARCO, Francisco, *Textos Políticos,* 2ª. ed., UNAM, Coordinación de Humanidades, México, 1994. (Biblioteca del Estudiante Universitario).

ZAVALA, Silvio, *Apuntes de la historia nacional 1808-1974,* 5ª. ed., El Colegio Nacional, Fondo de Cultura Económica, México,1990.

Periódico *El Financiero,* 2009-2010.

Periódico *Reforma,* junio de 2006.

Periódico *El Universal,* septiembre de 1901.

Periódico *El Universal,* febrero-junio de 1926.

Periódico *Excélsior,* enero de 2011.

Guía Roji de la Ciudad de México, edición 2005.

263